GABRIELE WOHMANN   DER IRRGAST

GABRIELE WOHMANN

DER IRRGAST

ERZÄHLUNGEN

LUCHTERHAND

2. Auflage 1985

Lektorat: Klaus Siblewski
Umschlaggestaltung: Kalle Giese, Darmstadt
Herstellung: Ralf-Ingo Steimer

© 1985 by Hermann Luchterhand Verlag
GmbH & Co KG, Darmstadt und Neuwied
Gesamtherstellung bei der
Druck- und Verlags-Gesellschaft mbH, Darmstadt
Bindearbeiten:
Hollmann GmbH, Darmstadt
ISBN 3-472-86619-5

INHALT

PARKVERBOT

Natürlich bevorzugte sie die Terrasse, und obwohl es noch kühl war, nahm sie auch an diesem Julimorgen dort wieder zum Frühstück Platz. Platznehmen mußte das genannt werden, was sie am Vier-Personen-Tisch, von Platanenschatten überwölbt, neben der Balustrade, Fontänenblick, deutlich arrangierte, und was nicht als einfaches Hinsetzen durchging. Nicht wie über jedermann zuckte nun etwas Sonnenlicht im Laub – oh nein, über Winni ereigneten sich winzige wichtige Spektakel, die Oberbeleuchter kannten sich mit ihr aus, und das jetzt war eine Geste, kein lediglich abgedroschener Griff zur Serviette. Es war ein wenig eine Plage, gewiß, und berufschronisch, daß Winni sich immerzu unabkömmlich fühlte, immer in dieser permanenten Regie.

Oh, aufgepaßt, der Plisséerock! Winni erschrak, nicht schlimm, doch eine leichte Gefährdung ging von dieser neuen Vergeßlichkeit aus. Falls es das war, Vergeßlichkeit. Ein gewisses Schwanken. Und so fest verlassen konnte man sich doch nicht auf die Versprechungen der Herstellerfirma, und Winni verabscheute zerknautschte, plattgesessene Plisséefalten, und deshalb erhob sie sich noch einmal, ja: ganz sicher, so erhob sich ein Mensch, der es weder gewohnt war noch guthieß, einfach nur aufzustehen. Sie inszenierte ihre Lebensmomente. Jetzt ereignete sich das ausbreitende, glättende, das Kleid bewußt wahrnehmende Herumziehen am Sommerstoff, also das zweite Platznehmen. Wozu sie sich nicht durchringen konnte, bei aller Liebe zu Plissiertem, und wenn es auch die zuverlässigste Schonung gewährleistete, das war, den Rock schnell hochzuraffen und sich auf die Unterwäsche zu setzen. Sie fand das eine Spur ordinär, doch noch mehr zählte, daß Sitzen inmitten eines hochgebauschten Rocks unförmig aussah.

Der Metallanhänger am Zimmerschlüssel mit eingeprägter Zimmer-Nummer lag für die Blickrichtung der Bedienung bereit. 240. Eine Nummer, auf die man stolz sein durfte. Respektvolle Verschwiegenheit, gefälliges Umherhuschen erwarb man sich mit ihr.

240, ich bewohne die Suite, ergänzte Winni Täufer ihre Kaffeebestellung.

Das ein wenig zu gleichmäßig beeindruckte Gesicht der Kellnerin dämpfte Winni. Nichts einzuwenden gegen Dämpfung! Ich liebe das Sanfte, das Weiche, ja auch Gedämpfte, das überaus standesgemäße Rascheln im Laub hoch in den Baumkronen, oh der Hochsommer ist dermaßen brutal und pöbelhaft jenseits der Schutzwälle, die dieser wundervolle Park mit Grün und Schatten für die wenigen Gesonderten errichtet, oder sagen wir besser: diesseits, da tobt und lärmt giftig und geschmacklos die langweilige Gegenwart. Der Untergang. Pah, es war nicht schade drum. Verstehen Sie, ich benötige sehr sehr viel Ruhe, und zwar räumlich gesprochen, ich bedarf einzelner Inseln, und Ihr Hotel, mit Park und einer Suite wie Nummer 240, rangiert ganz oben auf der Beliebtheitsskala meiner Verwöhntheiten. Zugegeben, das alles ist nicht gerade volkstümlich, oder allerweltsmäßig – nichts derart! Aber – nun ja: ich wünschte mir dringend die Überlassung von Nummer 240, und ich vermute, daß ein Umtausch möglich sein wird.

Winni Täufer hatte sich gestern am Spätnachmittag bei der Überredung des jugendlichen Rezeptionspersonals überanstrengt. Gern benutzte sie für diesen Verschleiß – notwendiges Übel und die Folge von Verständigung mit dem üblichen Bodenpersonal – den Ausdruck *echauffieren*. Sie möchten nicht, daß ich mich noch mehr echauffiere, nicht wahr? Den jungen Burschen mochte sie. Wie wohltuend, sein schwarzer Anzug, an diesem ekelhaft überbelichteten Julitag. Die drei weiblichen Angestellten waren ihr um einiges zu verschmitzt oder hintersinnig –

oder wie soll ich sagen? Eine Frau, die älter wird, hat es mit dem Einordnen von Blicken wahrlich schwer, das können Sie mir gern glauben. Wird sie gemustert? Argwöhnisch? Dabei ist es noch problematischer, überhaupt keiner Prüfung unterzogen zu werden. Nun ja, das betrifft ja eine wie mich ohnehin nur am Rande, stimmt's? Wer mich nicht wiedererkennt, dem kann auch sonst kaum geholfen werden. In einem Hotel wie diesem brauche ich mich nicht einmal mehr in die Registratur einzutragen. Törichtes Ding, schob mir den rosafarbenen Block mit den Anmeldeformularen hin, aber der junge Mann lächelte sie sofort verächtlich genug an, mich hingegen – wie? Eine Nuance zu kumpelhaft, könnte sein – Schwamm drüber.

Winni redete streng genommen unaufhörlich im Innern vor sich hin, manchmal, in Räumen, auch halblaut, aber um wirkliche Selbstgespräche handelte es sich dabei nicht. Dieses Sprechen brachte ihr keine Entlastung. Sie schien, im Ablauf ihrer Monologe, dauernd andere Menschen kennenzulernen. Vielmehr: sich selber Fremden bekanntzumachen. Die Unbekanntheit blieb erhalten, die Fremden lösten einander ab. Stets gab es Neues über Winni, sie eröffnete und eröffnete, erklärte sich, und achtete doch darauf, daß die Oberfläche nie durchbohrt wurde. War Intimität nicht erwünscht? Winni bediente sich einer Art Bühnensprache, künstlich hatte sie es gern, auch kühl, bei aller Einweihung. Doch gelegentlich wurde sie salopp, sehr selten fast vulgär. Ab und zu war die Welt eben nur einen Fluch wert.

Oh wie wohl sie mir tut, diese Bremer Frische, heißt es nicht: bremensisch? Bremensische Frische, eine salzgesättigte Lüftung, Meeresatem, und Vorboten fächeln im Buschwerk . . . in den Wipfeln, wäre ebenfalls schön. Schöne Dinge wüßte sie, für einen Tischnachbarn, kühlen angenehmen Redestoff. Kühl und angenehm faßte sich der

Stein an: Winni legte den linken Unterarm auf die Balustrade. Sie wartete gern noch eine Weile in dieser Haltung, lässig, aus einer Suite-Nacht wohlgeformt hervorgegangen, bis sie ihre Runde um das Frühstücksbuffet machen würde. Sie empfand sich als eine Geschaffene, unerreichbar entfernt davon, nichts weiter als eine bloße Kreatur zu sein. Bevor ein Mensch ihrer Qualität zu essen und zu trinken anfing, hatte er immer noch eine Menge verfeinernde Einfälle.

Winni und der laubgefilterte Wind seufzten einander an. Verwandtschaftliche Morgenbegrüßung, in der gemeinsamen Tonart. Am Rezeptionspult nachher wäre diese Harmonie schwerlich durchzuhalten. Nichts Duftiges und Poesiehaltiges wäre anzubringen. Es ginge dort ums Geld, wie fast alles in diesem materialistisch geprägten Leben. Welch ein Mißverständnis, diese Bühne hier mit symmetrischem Grün und Pilastern aus verwittertem Gestein, den Park, das Flüstern in den Platanen für käuflich zu halten.

Kann ich Herrn Loth sprechen? Den Chef, den Direktor, Geschäftsführer, den Boß bitte, die oberste Instanz auf alle Fälle – verdammt noch mal!

Nein, sie würde nett, wenngleich überaus formell nach Herrn Loth fragen. Obwohl der Plan Gestalt annahm, überhaupt nicht erst einen Gegenwert finanzieller Art – Winni dachte: in klingender Münze – auszuhandeln, denn man irrte sich, sofern ihr Absteigen in diesem angemessenen umrahmten Haus mit einer herkömmlichen Übernachtung verwechselt wurde. Noch feilte sie trotzdem an einem kleinen Textstück für die jungen Ignoranten dort in ihrer Rezeption. Eine Spur beneidete Winni sie, die so gesichert dieses Verwaltungsgeviert bewohnten. Obwohl es sich dabei um eine völlig der ihren entgegengesetzte Welt handelte. In keiner denkbaren Wiedergeburt für ein zukünftiges Diesseits könnte Winni sich selber in der dennoch von ihr – falls sie absank in niedrigere Wünsche – begehrten Hoteluniform ausmalen, Gehaltsempfängerin, oder war das Lohn? Lohntüten: sie mußte immer an ihre Schultüte denken. Da existierte doch noch ein Photo, oder nicht, das Winni fast versteckt hinter einem hohen, mit Glitzerpapier beklebten Kegel zeigte, mein Gesichtchen, hören Sie, verriet bereits diese Fremde, diese Scheu gegenüber dem Massenhaften, pur Produktionsmäßigen und Unbeträchtlichen . . . finden Sie nicht? Riesengroße Eistüte. Ein schönes hochherrschaftliches Eis, gegen Nachmittag an diesem Tisch auf dieser Terrasse neben dieser Balustrade, in wessen Gesellschaft eingenommen: was für ein hübscher Gedanke! Ich wache gar nicht richtig auf heute Morgen. Nur, so viel weiß ich sogar mitten im Traum, daß nämlich Ihr Herr Loth, selber Ästhet und Liebhaber der Schönen Künste, mir seit Jahr und Tag einen sogenannten Künstlerrabatt gewährt, oh gewiß, ganz recht, sogar auf Nummer 240. Es gibt noch Menschen, auch heutzutage, die sich den Sinn für angebrachtes Entgegenkommen erhalten haben.

Der Hinweis auf Winnis Künstlertum: wie überfällig! Längst höchste Zeit! Herr Loth könnte sich allerdings – wie kürzlich im *Atlanta*, oder wie neulich im *Prinz Eugen* – als ein bodenständiges, in den üblichen Kategorien trachtendes Gemeinwesen von einem Menschen erweisen, das sich in etwas so Fades wie in einen Ruhestand verzogen hatte. Was dann? Abschwebend wie der windgetriebene Fontänenschaum, beflügelt wie die Wildtaube, deren Rastplätze in den Alleebäumen selbstverständlich auch unbezahlbar waren, so sah Winni Täufer sich wahrhaftig viel eher. Ach, wozu aber mitspielen, sich von einem zum andern Ort bewegen? Es änderte sich doch so wenig, und Winni empfand Stille, Ruhestand, Stillstand immerwährend, hier im Park zum Beispiel, bei allerdings dummerweise regelmäßig abschleichender Zeit. Ja, leider, Zeit verging.

Winni löffelte nun ihre Spezialidee von einem Frühstück, wobei sie ein internationales Air genoß, ein Airline-Air, dachte sie amüsiert. Sie mischte verschiedene Cereals, anders als Cereals nannte sie Kornprodukte in den Frühstückspackungen nun einmal nicht. Yoghurt und Milch und Dörrobst rührte sie dazu. Sie bediente sich gründlich am Buffet, und sie fühlte sich währenddessen von jedem beobachtet. Ich halte die Preise Ihres zugegebenermaßen herrlichen Hauses für nicht eben niedrig, nicht wahr? Also greife ich zu, einverstanden? Es ereignet sich sonst den ganzen Tag über nicht mehr viel, was meine Ernährung betrifft. Richtig: das gibt Leibstiche. Aber ist es nicht spannend, bis zum Abend zu beobachten, wie man so über die Runden kommt?

Luxus adee, Bremen adee . . . scheiden tut weh . . . Park und elegante Grünschatten adee . . . Fest stand, Winni müßte heute abreisen, auch falls es mit dem Preisnachlaß klappte. Nicht einmal den halbierten Preis für die Suite gedachte sie zu zahlen. Noch war sie ja in der Lage, ihre Rechnungen zu begleichen. Doch, in letzter Zeit immer häufiger, sah sie es nicht mehr ein, wieso denn die Organisation des menschlich-wirtschaftlichen Zusammenhalts nicht eine einzige Person, eben sie, Winni Täufer, einfach passieren lassen konnte, wem schadete das, warum nicht einfach eine Winni Täufer, eine einzige, freihalten, laufen lassen? Wem fiele es auf? Was bräche zusammen? Daran geht die Welt nicht zugrunde, oder? Davon geht die Welt nicht unter. Winni summte vor sich hin. Sie waren einfach besser, die Songs aus meinen Tagen. Und charakteristischerweise, das waren sie auch. Wie die Leute selber, die sie darboten. Originale, damals noch.

Finden Sie nicht? Wie verwechselbar alle Leute heute sind, und was sie zu bieten haben, ist das nicht so, man hält es kaum auseinander. Mich kannte jeder immer gleich. Mich kennen Spezialisten noch heute, ich meine, sie erkennen mich, ich sehe es fremden Menschen an, daß sie stutzig werden, nochmals hinschauen – auf mich – und übrigens, wehmütig glücklich werden sie, oder so ähnlich, eine Sehnsucht kommt auf, ach, nach etwas Vergnüglichem und Angenehmem, und ich gehörte zu denjenigen, die das verschaffen konnten . . .

Da! Wer war das? Dort drüben, zwei Tische weiter zur Freitreppe hin? Setzte er sich etwa dorthin? Nicht ein bißchen näher? Hier hier hier, meldete sich in Winni dieser alte Trieb aus den renommierteren Zeiten, hier bin ich, ich höchstselbst! Winni konnte nichts dagegen machen, es wurde ihr zu warm, die Frühstücksstimmung in einem Park für Auserlesene und auf einer Veranda für Snobs, sie zerrieb sich in diesem elenden, wichtigen inneren Gewitterchen: Ein Moderator! Ein Talkmaster! Fernsehmensch, junger Schönling, hallo mein Bester! Ich bin's, oh gewiß, Sie irren sich nicht, das ist keine Fata Morgana, nein nein, Sie tun einen guten Fang, Sie werden dafür gelobt werden, nur Mut! Ich bin keine optische Täuschung, ganz und gar nicht, recht haben Sie, richtig erblickt: das ist die gute alte – Quatsch! Nicht »gute alte«! Das ist die schöne, die einstige, doch schön und quellenkühl und nicht im üblichen Sinn alt gewordene Winni Täufer. Ich habe auch längst die Idee für meine Wiederkehr, für dieses Auftauchen aus der Verflossenheit.

Winni blickte hinüber zum Rondell, in dessen Mittelpunkt die Fontäne unermüdlich wirkte, in endlosem Fleiß, ein Grundbeispiel für Wiederholung, Wiederkehr. Aus dem Naß, dem ungeformten, rastlose Gestaltung. Winni Wiedertäufer! Wie wär's damit? Wie geht's, wie steht's? Noch zugkräftiger sollte es sein? Ob ich die alten Nummern vergessen habe? Aber nein! Wenngleich man mit einer Talk Show beginnen könnte, vorerst ohne künstlerische Darbietungen.

Das gäbe heute ein Zwicken in Winnis Eingeweiden! Die schicke Frühstücksmelange benähme sich höchst sonderbar, im Tagesablauf, wenn Winni weiterhin so zerstreut und aufgeregt äße. Seit drei Tische weiter zur Parkmündung hin der Mann aus der Unterwelt von Huld und Gönnerschaft und Popularität saß und bedauerlicherweise bis jetzt, von keiner stummen Anrede hypnotisiert, in seine Zeitung schaute, zog Winni den Magen ein, während sie, auch unüberlegt nunmehr und abgelenkt, ihre bleiche Kost löffelte – oh nein: »zu sich nahm«, so war es doch. Dann stand sie auf, gab vor, am Buffet von neuem das Angebot zu prüfen, obwohl sie ihren Suppenteller noch gar nicht leer gegessen hatte. Sie ging am jungen Mann vorbei. Der Tisch lag nicht auf ihrem Weg. Sie fand, sie schwebe an ihm vorbei. Leicht wie eine Fontänenflocke. Flüsterndes Plissée, ein Espenlaubbröckchen, es wisperte am jungen Mann vorbei. Immer noch nichts bemerkt? Hatte er nicht zu ihr aufgeblickt? Doch doch, das schon, doch verträumt, sofern Winni es in ihren Worten wiedergeben wollte, was sich empfahl, denn sonst hätte man dieses Aufschauen als leer und vertrant bezeichnen müssen. Traumverloren, sinnend: nennen wir es mal so. Abgeschlafft, noch nicht voll vorhanden, wie? Ach, man konnte, einfach mittels Wortschatz, die tagtägliche Welt verändern: zum Schöneren hin, man konnte sie anziehender und imponierender machen. Interessanter. Zu scheu, mich anzusprechen? Legen Sie diese Scheu getrost ab. Von mir war branchenbekannt, daß ich keine Sperenzien machte. Falls ein junger Mensch wie Sie diesen Ausdruck noch kennt. Nicht viel Federlesens. Marlene Dietrich wollte nie von links oben photographiert werden, und ich kann mir denken, warum, und bei mir wäre es rechts, die rechte Seite ist von jeher eine Spur problematisch gewesen – doch war ich stets viel zu biegsam, nachgiebig, anschmiegsam und so weiter, ich meine, ich besaß Mannschaftsgeist, semantisch auf unsere Gegenwart gebracht: Winni, der Kumpel. Freundschaftsdienste für den Beleuchter. Good sport Winni, Come back, Winni! Wiedertäuferin.

Lieber Himmel, was war denn das, von der Halle her durch den Frühstücksraum auf die Terrasse, was für ein Aufmarsch! Winni, die gebannt dorthin blickte, teilte dennoch ihre Aufmerksamkeit auf und spähte gleichzeitig zum jungen Mann aus der Medienuntiefe hinüber. Schwarze, vielschichtig verhängte Frauen hielten ihren Einzug, düstere Gestalten, und es sah beeindruckend und etwas furchteinflößend aus. Eine Serie von Männern spaltete sich von der Frauengruppe ab, die Männer nahmen keine Notiz mehr von den Frauen, und nur die Männer redeten, waren nicht schwarz gekleidet. Schweigendes Konklave von acht Frauen, die nun zwei Tische in der Nähe von Winnis und des jungen Fernsehmenschen Platz besetzten. Nonnen, so erinnerte sich Winni, mußten ihr früher schon mal bei irgendeiner Gelegenheit die Schau gestohlen haben, aber das heute war ärger. Strenger. Stummer und seltsamer. Es fehlten auch die lustigen weißen Pinguinumrandungen wie bei den Nonnen. Pures Schwarz. Kein Gelächter, kein Schwatzen und vergnügliches Beten. Zwei Frauen verbargen sogar ihre Gesichter unter schwarzen Zusatzschleiern. Schwarze Bienenzüchterinnen. Trottel, so hör doch auf, diese Fremdlinge anzustarren! Winni schimpfte mit dem jungen Talk-Mann, der wie sie selber überrascht und neugierig zu den beiden schwarz besiedelten Tischen hinüberschaute. Merkst du denn nicht: es ist verboten, hinzusehen! Hier, nimm mich stattdessen, hell und europäisch, freigegeben, vogelfrei, frisch wie der Parkwind, fontänenelegant, freier Vogel Winni! Paß auf, die stechen zu, die Insekten hinter den Schutzschleiern!

Wahrhaftig und wirklich leider: erst seit die Iranerinnen, dieser Krähenschwarm, diese Todesbotinnen, düsteres Kommando, die Hotelterrasse besetzt und damit verwandelt hatten, erst seitdem nahm der Medienbursche diesen Julimorgen zur Kenntnis, denn vorher war er gerade nur mit Mühe und Not, unausgeschlafen, einer von gestern gewesen, erst mit Hilfe seiner Zeitung von heute, bei Nachrichten, die schon hatten gedruckt werden können. Unfähig, die Taufrische einer Wiedertäuferin zu spüren. Diebinnen, verfluchte! Winni fand sich in der gemeinen mundartlichen Ausgabe ihres Monolog-Daseins wieder. Alles Hellblonde, Sommerweiche, Sanftblaßhäutige, alles Zartgetönte an ihr empfand sie plötzlich als so vergebens. Wie anstrengend. Ihr fiel ein, daß sie auf gar keinen Fall vergessen wollte, nachher den Badezimmervorhang in der Suite Nummer 240 abzunehmen. Sie würde ihn schön falten und zuunterst in die Reisetasche packen. Aus diesem Stoff, schrecklich ähnlich, zum Weinen ähnlich, zum Träumen und Verwechseln ähnlich, genau so gemustert und in Altrosa und weißlichem Gefiedermuster trug meine Mutter ein Kleid, stimmt es nicht, meine kleine große Schwester? Weißt du noch, wir machten einen von diesen Trick-Ausflügen! Sie basierten auf einer Mogelei unserer Mutter, ach. Seidensanft war diese Kindheit, ich frage mich allen Ernstes, ob es solche Zärtlichkeiten heutzutage noch immer gibt, zwischen Eltern und ihren Kindern, was für ein Geschwisterzauber, und es war ein Stoff wie dieser, aus dem meine Mutter für uns kleine Mädchen Reste abzweigte, und entweder trugen wir Röckchen nach der Manier ihres schönen Kleids, oder es hat sich um kleine

Schürzen gehandelt. Oder du, Schwester-Liebling, mein liebes Herz du, du hattest auch ein Kleid, ganz wie sie, und für mich blieb das Röckchen, oder die Schürze mit Oberteil. Und daß wir überhaupt nicht zum Zahnarzt sollten, so wie sie es uns vormachte, sondern in die SEESCHWALBE und dann mit Eiswaffeln im UNION einen Erwachsenenfilm anschauen würden, das haben wir gewußt, aber wie stark überzeugte uns dennoch dieses Spiel der Mutter! Ja, und ans Café OTT will ich mich auch erinnern, meine Damen und Herren Rezeptionisten, denn dorthin kam mein Vater mit, und meine Mutter besaß ein Kleid aus genau diesem Stoff, zu hübsch! Fragen Sie Herrn Loth, den Schöngeist und Gönner, falls Sie an meinen Sonderrechten zweifeln. Dieser Vorhang geht mit. Dieser Vorhang geht auf. Vorstellungsbeginn.

Winni dachte: für den Fall, daß ich doch zahlen muß, beziehungsweise, daß ich zu feige sein werde, nach Herrn Loth zu fragen, oder, lässig lässig, einfach so durchs Portal zu gleiten, vorbei an Lakaien, Livrées, Boys, nun ja, eben mitsamt leichtem Gepäck, falls es nicht zu all dem kommt, dann werde ich immerhin den heimlichen Triumph, diesen Vorhang, meine Trophäe als Faustpfand behalten. Geheimnisse braucht ein Mensch meiner Konsistenz.

Der junge Spund, dem sich in der Sendung SCHAUEN SIE DOCH MAL VORBEI die Studio-Gäste anvertrauten, auf dem sicheren Boden ihrer Prominenz, der leicht abzulenkende Knabe beobachtete nun mit einer fast bekümmerten Neugier, wie eine der vermummten schwarzen Frauen Bissen für Bissen eine Banane verspeiste. Die Banane wurde unterm Kinn bei leicht gelüftetem Tuch eingeführt, sie blieb eine Weile verborgen, und kam, verkürzt, wieder zum Vorschein. Wie lang willst du das Kleinerwerden und Verschwinden der Banane noch bestaunen, he? Bildest du dir denn ein, diese anachronistischen Gespenster könntest du dir für deine alberne zeitgeistlose Schwatz-Nummer angeln?

Ich habe Pech, dachte Winni. Nichts zu wollen, bei dieser Konkurrenz. Sie beschloß, von jetzt an lieber den Park zu genießen. In vollen Zügen, das dachte sie beinah laut, und sie atmete voll durch. Auf, ab, aus und ein. Rhythmisch wie . . . ach, der Wind fing an, sich hysterisch aufzuführen. Jenseits des Parks – oder hatte sie nicht vorhin DIESSEITS für klüger gehalten – ja: dort draußen war DIESSEITS, und der diesseitige Weg zum Bahnhof wäre gräßlich. Genießen! Das trotz allem Ruhige, das der Park verströmte. Das Zeitlose, empfand Winni, und gleichmäßig kam sie hier vor, trat sie hier auf, unverändert in den Platanenwipfeln, in den gedämpften, niemals ausruhenden und dennoch ruhevollen Flüsterbewegungen des Windes . . . der Meeresbrise, sagte sie sich schnell.

In der Allee auf der Ostseite des Parks, an deren Ende man in die gewöhnliche Szene der städtischen Liegenschaften eintrat, wirkten Gärtner in den Bäumen. Sie schnitten Äste ab, eine Maschine splitterte das Laub von den Zweigen. Haben Sie je davon gehört, daß Bäume sterben? Von schwerkranken Wäldern, je davon gehört? Würde es Sie interessieren, das Jahr Zweitausendvierhundert zu erleben? Es wird wärmer, es wird bald nie mehr kühl sein auf diesem Planeten. Was mich betrifft, so muß ich gestehen, daß ich auf eine noch trockenere, immer heißere Lebenszeit keinen Wert lege, stellen Sie sich vor: eine Zeit ohne Alleen wie diese! Oh, Winni würde nachher mit den Gärtnern das tun, was sie jetzt schon *ein paar Worte wechseln* nannte. Ich wechselte ein paar Worte mit den Gärtnern, auf meinem Weg zum Bahnhof, nicht wahr, es ist schön, wenn man auch das kann: sich mit Leuten anderen Schlags, nennen wir es einmal so, verständigen, fern des Hochmuts, völlig kameradschaftlich, und dennoch nicht ohne Distanz. Damit verwundere ich andere Menschen sehr häufig, es handelt sich um eine Gabe bei mir, Menschen, die einem Stand, der nicht der meine ist, angehören – lieber Himmel, das muß man doch noch feststellen dürfen – sie mögen mich; wieso rede ich altertümlich, aus veralteter Denkweise? Bleib auf dem Teppich, du Vereinfacher, deswegen bin ich noch lang kein Klassenfeind, das heißt: wer weiß? Warum nicht? Die Täufers haben im 18. Jahrhundert das Adelsprädikat abgelehnt. Nicht abgelegt, obwohl – so sicher bin ich mir da nicht, meinethalben, es könnte sich auch andersherum abgespielt haben. Was zählt, das ist die aristokratische Nachbarschaft.

Wissen Sie, die Hitzewelle unten in Süddeutschland hat mich stark ermüdet. Ich schlüpfe nur einmal hinaus in Ihren wundervollen Park, wissen Sie, im Umkreis der Fontäne finde ich nicht nur Erfrischung, das würde jedem so gehen, jeder wird dort leicht besprüht . . . bei mir aber ist es etwas anderes, ich fange an, eine Musik zu hören, zuerst ganz leise, dann, wenn ich mit der Beckeneinfassung auf ungefähr zwei Meter nah gekommen bin und eigentlich bereits naß werde, dann höre ich diese Musik geradezu tosen. Und doch, die Melodie entzieht sich, höchst eigenartigerweise.

Das Rezeptionspersonal wirkte wie von einem Schachspieler hin und her gerückt. Bis auf den Alt-Boy, der in seinem Verfügbarkeitsdienst ermüdet war und von Winni Täufer einen Auftrag erhoffte – hej! Finger weg von meiner Tasche! – blickte keiner zu ihr hin.

Ich kehre wieder, nach kurzer Umrundung auch des Südrondells. Und im Nordteil bin ich dieses Mal überhaupt nicht gewesen. Herrn Loth würde das mißfallen, er achtet immer darauf, daß ich zu meinen Spaziergängen komme. Hier kann man Luft schöpfen, wirklich! Sie alle miteinander, sie ahnten noch nichts von dieser grünen Geometrie, dem Park, meine jungen Damen und Herrn, als ich bereits hier aus- und einging. Doch doch, dieses Köfferchen hier nehme ich mit, es handelt sich sowieso eher um eine Tasche, übrigens nach den Maßen, die Fluggesellschaften vorschreiben, für Handgepäck, nicht wahr, Handgepäck, woraus ebenfalls hervorgeht, daß man ohne weiteres mit einer Ledersache wie dieser – hübsch, stimmt's? – seine Wandelgänge abstatten kann, oh ja, amüsant zu denken, damit, mit dieser Ausrüstung, allezeit flugbereit, draußen im Park, ich könnte abheben so wie ich bin. Doch, ich nehme das hier mit, sieht nach Gepäck aus, schon recht, ich muß es bei mir haben, weil ich, am Teich höchstwahrscheinlich, einige Bücher anschauen möchte. Ich möchte Herrn Loth sprechen, in Sachen Künstlerrabatt, aber hauptsächlich um seiner selbst willen. Um alter Tage willen. Was ist das für eine Neuzeit, in der die Bäume Fieber haben und selbst streng geheime iranische Frauen in Reisegruppen ausschwärmen! Wem macht das in noch erhitzteren, noch weniger grünen und bepflanzten Zeiten völlig einheitlicher Nachkommenschaften weiterhin Spaß? Einer Winni Täufer gewiß nicht. Lassen Sie mich hinaus, ins Frische, wer weiß für wie lange. Südwesthessisches Amazonasgebiet, aus dem ich angereist kam, gestern nachmittag, am Ende meiner Kräfte. Was verstehen Sie davon! Die meisten Leute lieben es zu schwitzen, zu sieden, gesottene Gesellschaft, ich habe genug davon. Furchtbar erschöpft, das bin ich, und einige Tage hier könnten Wunder wirken, jedoch, Herr Loth mag ein Schöngeist sein, einen wahren Mäzen hingegen stelle ich mir anders vor.

Winni betrat noch einmal ihre Suite Nummer 240. Zum Glück fand sie alles so vor, wie sie es verlassen hatte. Die kleine Mannschaft der Zimmermädchen war noch fern, der Gerätewagen parkierte in der Mitte des gegenüberliegenden Gebäudeflügels. Per Telephon wäre es leichter, mit der Rezeption die Angelegenheit ihres Ausgangs mit Handgepäck abzuklären. Ausritt, fand Winni, wäre wunderschön, von einem Ausritt zu sprechen. Leider überhaupt nicht anzubringen. Oh Himmel, mein Zug, meine Hinfahrt, dieser Lokführer. Eine einzige Serie von Vollbremsungen dieser Hinweg, ich frage mich manchmal, wie es kommt, daß ein menschliches Herz so vieles übersteht. Nun ja, schönes Parkgebiet, ohne dich hätte ich in Nordheim spätestens die Notbremse gezogen. Doch hierhin habe ich gewollt. Bremensische Bürger, klingt gut, aber zum Park paßt es nicht, klingt zu sehr nach Bremsen, und eben die, die auch, ließ ich da unten im Amazonashessen hinter mir; Bremer Bürger, und wie angenehm sie sich in den Parkwinkeln verhalten, ich sehe keinen Neugierigen, Diskretion schätze ich über alles.

Also gut, kleine Winni, habe ich mir gesagt, in diesem Zug mit allen diesen entsetzlichen Kollapsbremsungen – übrigens einer der letzten TEE-Züge, oh das Ende aller Absonderungselysien naht – wenn schon, gute Winni, Wiedertäuferin, wenn schon diese Pein und dieser Todesalarm, wenn schon geschieden werden muß, dann rauche ruhig noch eine und noch eine, rauch dich grün. Normalerweise benutze ich eine Zigarettenspitze. Ja, sieht man kaum mehr. Auch so ein Punkt im großen Programm kultureller Niedergänge, oder wie? Nun, bei diesen schrecklichen Vollbremsungen ließ ich die Spitze weg, ich rauchte wie jedermann. Ich habe mich also ein wenig übernommen. Zuerst die Hitze da unten, Tropen! Ich korrigiere mich, Subtropen. Was weiß ich. Leichtes Ekzem im Nacken. Leichter Puls. Oh Himmel, wie sage ich es Menschen wie Ihnen, wie mache ich mich verständlich? Und dann, das viele Nikotin mitten hinein in die Stimmung dieser zahlreichen letzten Stündlein, wahrhaftig auch nicht das Bekömmlichste, und man sollte denken, daß sogar jüngere Leute wie Sie in Ihrem Rezeptions-Areal das verstehen, denn sobald Sie Ihre hübschen Uniformen ablegen, so ist leider zu vermuten, dann werden auch Sie, oh ja, tun Sie nur nicht allzu sicher, Menschen wie Du und Ich, gebrechlich und alles das, nun ja, ganz einfach Todeskandidaten. Der Anschein trügt. Also, raus mit der Sprache. Erstens: wo steckt Herr Loth? Und zweitens: entweder Sie lassen mich mitsamt Reisetasche hier durchs Portal schreiten, nein danke, ich benötige ausnahmsweise keinen Boy, oder die Künstlerrabatt-Angelegenheit kommt zur Sprache.

Winni war ins inwendige Schimpfen geraten, bis hin zu Verwünschungen und Flüchen, als sie, die Umhängetasche geschultert, die schwere kofferartige Flugreisetasche in den rechten angewinkelten Arm eingehängt, von niemandem beachtet das Hotel verließ. Die Gärtner in der Allee sprach sie ebenfalls nicht an. Auf Gleis 5, wo sie wie eine Verwechslung mit sich selber im Glasfenster vom Kiosk gespiegelt war, rief eine Männerstimme zum zweiten Mal durch den Lautsprecher: Frau Heinz aus Mülheim, bitte melden Sie sich beim Aufsichtsbeamten. Es liegt eine Meldung für Sie vor.

Er müßte doch wenigstens, um diese Frau Heinz anzulocken, sagen: Eine angenehme Meldung liegt für Sie vor, dachte Winni. Aber vielleicht ist es keine angenehme. Ist jemand krank geworden? Diese Familien! Sie gaben keine Ruhe. Starben, machten Probleme. Oder sie lebten weiter und zwar meistens sorgenerregend. Hat Frau Heinz einen Lottogewinn gemacht? Kommen Familienmitglieder überhaupt auf so nette Einfälle, würden sie eine glückliche Überraschung für würdig erachten, auf einem Bahnsteig eine Suchaktion auszulösen? Gewiß nicht. Das Leben war ordentlich und langweilig verwaltet. Das Schönere konnte immer warten.

Mit irgendjemandem muß ich einfach reden: Winni wußte das. Wieder forschte der Lautsprecher-Diensthabende nach Frau Heinz aus Mülheim. Ich muß, unter anderm, meine Stimme benutzen, fand Winni. Der Plan nahm Gestalt an. Winni spürte mehr, daß das geschah, der Plan und seine Reifung in ihr: diese Dinge funktionierten wie von selbst. So lang nichts gesprochen zu haben, lief auf einen Verstoß hinaus. Ähnlich, sehr lang vernachlässigter Pflege irgendwelcher Hornhaut oder Zehennägel. Als würde sie ihre schönen Haare nicht mehr verwöhnen, als hätte sie seit Tagen keine Bürstenkur mehr gemacht, dahin käme es, wenn sie nicht bald redete, und zwar nicht nur mit ihren Stimmbändern käme es dahin, oh nein. Diese Verwahrlosung griffe auf ihre ganze Person über. Sie betraf ihre Identität, die gesamte Winni Täufer hörte ja so allmählich zu existieren auf, wenn nichts geschähe.

Ich werde einen finden, dem ich ziemlich viel, sagen wir von Bremen, oder von Bad Nauheim – nun, warum nicht auch von Mülheim erzählen kann. Winni war schon unterwegs! Sie lief treppab und durch die Unterführung. Ihr hatte vor ein paar Tagen in FOREIGN AFFAIR – wundervoll, die Filme aus dieser Winni-die-Täuferin-Periode! – so schrecklich gut gefallen, daß der junge Colonel, geduldig mit Jean Arthurs Huldigungen an den US-Staat Iowa, lakonisch gefolgert hatte: Sie nehmen Iowa sehr ernst, oder? Ach, nach dieser Art von freundlichem grimmigem Humor empfand Winni Sehnsucht, und nach Frisuren wie der von Jean Arthur. Und Jean Arthur hatte ihr Notbehelfs-Abendkleid mit einem Zirkuszelt verglichen! Geräumig genug für einen Elefanten! Wohlige Beherbergung, in alten Filmen. Wo bleibe ich eigentlich heute nacht? Wie wär's mit den Heinzens, in Mülheim, ist das an der Ruhr oder sonstwo? Passen Sie doch auf, rennen Sie nicht die Leute um! Das ist Chintz, mein Jackenkleidchen, verträgt keine rauhen Bahnhofssitten zwischen Kreti und Pleti. Ich habe neuneinhalb Tage lang mit keinem Menschen mehr geredet. Hier bin ich! Ja doch, Zeit genug habe ich. Mein Zug, ohnehin kein TEE-Zug diesmal, geht erst in fünfundvierzig Minuten, ich liebe es, früh dran zu sein, und siehe da – es bewährt sich ja, gelegentlich. Meine Pläne sind wandelbar. Ich bin offen für Offerten. War es beim Frühstück auf der Terrasse im Park, als mir, vis-à-vis vom Fernsehknaben, diese Rabenkrähen von Iranerinnen die Bühne volltrampelten, aber jetzt: Ihr Auftritt, schöne Winni!

Neugierig und im Gefühl, anziehend zu wirken, stand sie dem Aufsichtsbeamten gegenüber. Sie fühlte sich in ihrer leutseligen Fassung, als eine andere Winni Täufer, derjenigen vom Frühstückstisch am Parkrand auf einer niedrigeren, robusteren Ebene entfernt verwandt. Bürgerlicher Zweig.

Ja, das bin ich, die Frau Heinz, wiederholte sie jetzt.

Log sie etwa? So wenig wie in früheren Zeiten. Sie kannte sich in Anverwandlungen aus. Zu dumm, jammerschade, daß man ihr die wirklich epochemachenden Rollen eigentlich nie anvertraut hatte. Andererseits war Winni, zusammen mit ihren Regisseuren, stets von der ausschlaggebenden Kraft, die gerade von Nebenrollen ausgeht, überzeugt gewesen: sie machten nämlich die Stimmung eines Stücks aus. Sie gaben Filmen das gewisse Flair.

Was also liegt vor? Um was für eine Meldung handelt es sich?

Es war ein so bekenntnisträchtiger Moment. Winni fühlte sich gut. Sie fand, sie sei bereit zuzugeben, daß sie ihre Hotelrechnung nicht bezahlt hatte, daß sie mit einer Fahrkarte für die zweite Wagenklasse in der ersten Wagenklasse zu reisen gedachte und zwar über den angegebenen Zielort hinaus, schön weit hinaus, verträumt eben, daß sie dergleichen nicht für illegal halte, im Gegenteil, für gesetzestreu hielt sie das, denn zu ihr paßten nun einmal Luxushotels und andere erstklassige Bedingungen. Schwitzte sie denn etwa, wie die anderen alle? Lästiger, ekliger Schweißgeruch, den sie von links und rechts einsog. Sie blieb so frisch, so kühl, merken Sie es? Andererseits: dieser muffige braune dumme Raum hier war kein Beichtstuhl. Und sie würde Frau Heinz sein und getrost ein wenig nach Schweiß riechen. Immerhin, da in Mülheim schien was passiert zu sein. Man überließe ihr vermutlich ein Freibillet dorthin, da es offenbar dringend um ihre Anwesenheit ging. Oh es wäre eine gute Zwischenlösung, als Frau Heinz fremde Sorgen zu übernehmen. Womöglich ja Freuden. Zumindest: andere Angelegenheiten. Winni wünschte auf einmal, das ganze Geschussel dieser letzten Wochen loszuwerden.

Frau Heinze?

Frau Heinz, verbesserte der Beamte.

Natürlich, sagte Winni.

Frau Heinz, Ihr Wagen steht im Parkverbot, sagte der Beamte. Er sah Winni weniger forschend an als der netteste aus dem Rezeptionspersonal, und etwa so ungenau wie der Medientyp beim Frühstück.

Wo denn? Wo denn im Parkverbot? In Mülheim, woher ich stamme? fragte Winni. Noch stocherte sie im glimmenden Aschehäufchen ihrer Hoffnung herum.

Hier, am Bahnhofsvorplatz, da stehen Sie im Parkverbot, sagte der Beamte.

Parkverbot! Winni schaute sich inwendig die heilkräftige Geometrie zwischen Veranda und Fontäne an, buschumrankt, sie sah das Platanendéfilée, das den Zugang in dieses stille Landschaftsreich schuf, in dem die anderen

Menschen, die dort einhergingen, nachhaltig und begierig, aber ein wenig beklommen, einfach schüchtern Winni Täufers Bekanntschaft zu machen wünschten. Alles besungen, alles gemalt, gezeichnet, alles beschrieben, beredet, vertont, jeder Wegrand skizziert und erwähnt, jede Rolle gespielt, die Kieseinfahrten begangen, die Kutschfahrten unternommen – was bleibt denn noch zu tun?

Ich und Parkverbot! Verwechseln Sie mich bloß nicht mit irgendeiner Frau ohne jede überregionale, die Grenzen Mülheims sprengende Aura! Und Ära: ich hatte die meine!

Der Bahnbeamte war ein wirklich netter Kerl, er gefiel Winni, aber sie fand es nicht nötig, daß er jetzt so beunruhigt aussah. Was hatte sein Griff zum Telephonhörer zu bedeuten?

Wir brauchen doch keine Polizei, nicht wahr? Auch Rettungsdienste, irgendwelche Leute von der Missionsstelle, völlig überflüssig.

Stimmt was nicht? Ist was los?

Diese extremen Temperaturen in diesem Hochsommer! Die Leute ringsum begannen mit der üblichen Einmischung. Und ob was los ist! Ich bin in diesen Chargen von jeher instinktsicher gewesen, gerade diese Sorte Frauen, diese Frau Heinz mit ihrem falsch geparkten Auto: wie für mich ins Drehbuch gehoben! Das gibt Farbe, wissen Sie? Während die Heldin sich im Park ergeht, dem Helden für die nächste Liebesszene zugewandt, kommt diese Frau Heinz dazwischen. Wissen Sie, das sind die Leute, denen traurige Sachen passieren, und die Zuschauer lachen.

Ein Insekt störte Winni. Sie ängstigte sich plötzlich. Das ist eine Hornisse, schrie sie, aufgeregt fuchtelnd. Sehr rasch konnte sie manchmal zuschlagen, jetzt mit dem Futteral ihrer Sonnenbrille. Schluß jetzt, sagte der Beamte, der zwischen die Leute und Winni getreten war. Er nahm sie nicht garstig am Arm. Sehen Sie mal her, es ist gar keine Hornisse, wollte Winni jammern, sie schaute auf ihr Mordopfer, wurde aber weggeführt.

Wie kann man eine Hummel erschlagen! Sie zürnte sich. Wohin gehen wir, wollte sie gar nicht fragen. Die Hummeln, ich habe es gelesen, sind vom Aussterben bedroht. Wir haben nicht mehr viele von ihnen. Nicht mehr lang, und es gibt keine mehr. Wie kommt sie überhaupt, ein Blumen- und Parktier, in so einen heißen, übelriechenden Bahnhof?

Der Beamte war wirklich nach wie vor nicht unhöflich, aber weit davon entfernt, um ein Autogramm zu bitten.

DER BEZWUNGENE

Zum dritten oder vierten Mal stockte dieser Austausch. Der engagementlose Schauspieler und Vortragsreisende Felix Spring bestand auf dieser neuen Schweigepause. Seine Kontrahentin hier in diesem Abschaum von einem Unterbringungsort, dem Privatzimmer des Gasthofbesitzers, war zwar stutzig geworden, aber längst noch nicht genügend von Trotz, Bockigkeit und Auflehnung ihres Gasts aufgeschreckt. Vom Herummurksen in schlechten Lebensbedingungen bekam Felix Spring allmählich auch Kopfweh. Unter Atemnot litt er bereits. Schlecht war ihm aber schon vor seiner Ankunft in Heidinghausen gewesen, vom Aufstehen an, und daß er fand, es röche nach Erbrochenem, hing mit seiner unguten körperlichen Verfassung zusammen. Anfallweise entsetzte es ihn seit ein paar Jahren, wie lang er nun schon lebte. Sein Gesicht färbte sich zu leicht rosig, die Haare fielen ihm aus, in den Füßen hatte er manchmal ein Tatzengefühl und über dem Hosenbund sammelte sich zu viel unbrauchbares fettiges Fleisch an.

So jedenfalls geht es wohl kaum, sagte er und gestikulierte matt. Geduld Geduld, wir warten am besten ab, was dem guten Mann dazu einfällt, beschwichtigte ihn die Frau, von der zu befürchten war, sie sei für das Ausmaß seines Schreckens seelisch einfach nicht präpariert. Felix fragte sich, ob sie seine Prätentionen überhaupt empfing, denn ihr Wellenbereich war nicht der, auf dem er sendete.

Regen Regen Regen. Zu schade, tut mir zu leid für Sie, sagte sie.

Der Regen hat keinerlei Bedeutung in diesem Zusammenhang, und außerdem müßte man an den Grundwasserspiegel denken, antwortete er und tadelte sich für seine Schlappheit. Nachgiebig, das durfte er bis zum Jahresende nicht ein einziges Mal mehr sein und am besten die nächsten zwanzig Jahre lang nicht – er erschrak und wehrte den Gedanken an die fragliche Zeit der Jahre ab, die er noch vor sich hätte. Ob die Freundlichkeit unter Menschen, ein gewisses Auskommen zwischen einem Mann und einer Frau wie jetzt hier in diesem Moment, nicht doch einen hilfreichen Einfluß auf trübes Sinnen nähme? Felix setzte hinzu:

Apropos Grundwasserspiegel: es kann gar nicht genug regnen, wochenlang, damit er einigermaßen gesundet. Die Bevölkerung macht sich davon keinerlei Vorstellungen.

Trotzdem trotzdem, im Mai, man erwartet etwas anderes vom Mai.

Sie sah ungläubig aus, persönlich beleidigt.

Felix Spring wurde wieder nervös und ärgerlich. Er atmete die Verkommenheit des Schauplatzes heftig ein und aus. Geregnet hatte es schließlich seit dem frühen Morgen, in Schauern, in Strömen, und zwischendurch Niesel, auf dem Omnibusbahnhof von Neuenstadt hatte Felix wie in einem Spinnennetz aus Regengewebe gestanden; Regen als Zustand gab es an diesem Tag, der Bus war durch Wolkeneingeweide geschaukelt, und die Regengestalten interessierten Felix, während diese Frau da nichts vom Regen verstand. Er erinnerte sich seiner Enttäuschung beim Blick aus den Busfenstern. Auf Flachland hatte er sich gefreut, und daß es auf der Bundesstraße bald hügelan, bald hügelab ging, empfand er als Niederlage. Denn er nahm nicht gern von seinem unzuverlässigen Gedächtnis Notiz. Diese Gegend war von ihm mehrfach schon bereist worden. Schluß mit den kurzen Schnäpsen zwischendurch! Um richtig nüchtern zu werden, das wußte Felix noch sehr gut, brauchte man ein letztes abschließendes Gläschen.

Aber wie unklug von ihm, abzuschweifen und Erinnerungen nachzuhängen. Seine Partnerin schien im Begriff, es sich mit einem Fortsetzungsgeplauder über den Frühling, und wie er klassischerweise zu sein hatte, gemütlich zu machen. Daß dieser Mai seit Tagen einen herbstlichen Eindruck hervorrufe und den Namen WONNEMOND so gar nicht verdiene, hielt Felix Spring für keinen originellen Gesprächsstoff, doch vor allem war er in der gegenwärtigen Lage unangebracht, taktlos, Zeugnis mangelnder Einfühlungsgabe. Sehr bald würde diese Frau vorbringen, er, Felix Spring, sei ja nach dem Frühling benannt, ja er heiße so, FRÜHLING, aus der englischen Sprache übersetzt. Frauen kamen immer drauf. Er brauchte sich nicht von neuem im Zimmer umzusehen, um zu erfahren, wie akut seine Empörung war und wie sehr sie infolgedessen akuter Heilverfahren bedurfte. Hier war Kopfarbeit gefragt und kein Gemütskram über den Mai. Felix konnte nicht länger ablenkendes Gewäsch dulden. Frauengrillen! Der Wonnemondsblödsinn reizte ihn und machte ihn mürrisch. Wie ohnmächtig sie einen machten, manche Frauen und ihre zielgerichteten Zerstreutheiten. Schrottreif fühlte Felix sich, vom Scheitel bis zur Sohle. Er hatte Lust, etwas Flüssiges durch seine trockene Kehle zu treiben.

Regen oder nicht, sagte er, wir müssen eine Lösung finden.

Er wollte zu verstandesmäßigen Überlegungen überleiten und etwas Energisches anfügen, und zwar mit fast lässiger Stimme, von oben herab, damit sein Gram, seine Grabeslaune nicht hervorschimmere, doch in diesem Augenblick mußte er husten. Der Husten kam vom Blick, der sich auf ihm ausruhte, regelrecht sich ablagerte, und der ihm satt und zufrieden vorkam, obwohl er ihm auswich. Das war der Blick des Jägers auf sein Beutetier. Das Beutetier zappelte noch, zuckte, wehrte sich, war aber erledigt. Alte Diana du, du MEIN JAHRGANG, ich werde es dir noch zeigen, waidwund wie ich bin, ich bin dir gewachsen und mehr: überlegen, sehr bald schon wieder. Ihr Umhängetäschchen glich einer Botanisiertrommel, es sah steinhart aus, entweder war es prall vollgestopft oder aus einem sehr harten Leder.

Felix Spring machte eine schwierige, eine besonders anankastisch-nervöse Lebenssequenz mit und konnte zur Zeit Verschiedenes nicht gut vertragen, an erster Stelle das Angeblicktwerden. Beruflich und privat traf diese Beeinträchtigung ihn substantiell: in diesen Worten würde er, wenn es schlimmer käme und mit den selbstgemachten Ritualen nicht mehr zu bändigen wäre, einem Nervenarzt Bericht erstatten. Substantiell. Herr Doktor, Sie müssen nämlich wissen, ich setze mich regelmäßig der Öffentlichkeit auf abendlichen Kulturveranstaltungen aus, und soll es denn eines entsetzlichen Tages geschehen, daß über mich in der Zeitung steht: Plötzlich schleuderte der Referent sein Manuskript wie auf dem Höhepunkt einer Verzweiflung ins Publikum, erlitt einen Anfall, sackte in sich zusammen, zerschmetterte seine Stirn auf dem Vortragspult – sind das niedergekämpfte winzige Epilepsien? Die Platzangst? Ist es paranoid? Chronisches Unglück?

Würde er hierüber nun zu sprechen beginnen, er hätte bei der noch immer stramm stehenden Frau sofort gewonnen. Felix gefiel den meisten Frauen. Sie witterten seine leise schwelende Verdammnis, sie liebten den Fernblick auf sein Unglück, sofern er ihn nur gewährte, und wenn er ein Glas zu viel getrunken hatte, eröffnete er diese Lieblingsperspektive für Frauen. Er erinnerte sich selber dann an den Trompeter in Gustav Mahlers Sinfonie, sah sich am Ende des blaß erleuchteten Gangs, der vom Orchester und von der Bühne wegführte, einsam und herausgehoben und überaus wichtig stehen, das schmerzerzeugende Leitmotiv auf den Lippen.

Durch den Hustenkitzel stockte der ungleichartige Dialog schon wieder. Der Vortragsreisende Felix Spring empfand sich als glotzäugig, denn um von sich abzulenken, beäugte er nun seinerseits ein Opfer. Er fand es in den drei froschgrünen Äpfeln, die auf dem Tischchen lagen und von Hilda Kandel als Friedenspfeife aufgefaßt wurden. Äpfel als Vertrauensbeweis, Äpfel zum Einleben hier, nicht wahr? Felix beobachtete die drei Äpfel wie ein Naturforscher. Über Hilda Kandels Einlassung, die Äpfel betreffend, war er wütend, jedoch auf seine fassungslose ungeschickte Weise. Schlagfertig müßte man sein. Es gab Tage, an denen schwächten Frauen ihn. Er hatte immer das Gefühl, Frauen erwarteten sofort von ihm eine Anrüchigkeit. Glitt er nicht mit ihnen über eine Grenze der Schicklichkeit, so enttäuschte er sie. Also grinste er oftmals leer und vielversprechend vor sich hin. Obst und Blumen. Typisch für Frauen, wieder einmal. Kaum gibt es Obst und Blumen in einer abscheulichen, verfahrenen, ihn, Felix, mißhandelnden und hinrichtenden Situation, da sieht doch auch schon die gesamte Welt wieder brauchbar und freundschaftlich aus. So meinten Frauen. Wie unüberwindlich weit war doch der Horizont, von dem aus Frauengemütsregungen das Leben ordneten.

Die Diplombibliothekarin Hilda Kandel verstaute das Apfelbeutelchen aus knisterndem Material in ihrer dunkelbraunen Tasche, die sie immer noch geschultert trug.

Für Frauen änderte sich wahrscheinlich in der Tat alles mögliche, so bald sie irgendwelches Grünfutter zu Gesicht bekamen. Aus der heruntergewirtschafteten Gasthofküche sickerte dauernd der Geruch von altem Essen ins Zimmer. Ein schmaler, mit dem Plunder des Gasthofbesitzers vollgestopfter Flur verband diese beiden Räume. Nicht mehr lang, und Felix Spring wäre es zum Speien übel.

Ich bin ein antizipierender Mensch, folglich muß ich in jeder Minute die Konsequenzen vorausberechnen, und diese Umstände hier, die werden mir nicht bekommen.

Ähnliches müßte er hervorbringen, einerseits. Um seine Lage zu verbessern. Er müßte mit etwas Ehrlichem über sich herausrücken. Aber andererseits würde sie ihn dafür lieben. Nach Lieben stand ihm der Sinn. Doch nicht nach diesem Lieben.

Ein Apfel wird Ihnen gut tun, sagte sie.

Bin mir nicht ganz so sicher, sagte er.

Als besitze das Aufeinanderprallen zweier prinzipiell unvereinbarer Menschen und ihrer Beurteilungen der Sachlage sogar einen Einfluß auf das Wettergeschehen, so inspizientenhaft theatralisch drang plötzlich – als habe ein Regisseur schläfrige Zuschauer mit einem äußeren Zeichen aufschrecken wollen – die Mittagssonne durch die Unwetterwolken dieses Maitags und schuf in dem kleinen, garstigen, sonderbar verruchten Zimmer deutlichere Verhältnisse.

Ein Sterbezimmer, sagte Felix, lachte aber vorsorglich.

Da! Schauen Sie nur! Die Sonne meint es ganz und gar nicht so, rief Hilda Kandel und schaute intensiv, wobei ihr Ausdruck ein wenig derb und engstirnig wurde.

Ein Sterbebettchen, ein Adele Schopenhauer-Bettchen, sagte Felix Spring, dem aufgefallen war, wie klein das antik wirkende Bett und wie fragil es aussah.

Aber der Blick ins Gärtchen söhnt aus, nicht wahr? fragte Hilda Kandel.

Sollte er ihr etwa recht geben? Immerhin wandte sie nun endlich einmal den Blick von Felix, der daraufhin eine Spur freier atmen konnte. Dem Gärtchen sah man liebevolle Betreuung an. Jemand anderes als der Gasthofinhaber, dem nichts auf kleinem Raum Sorgsames und überhaupt nichts Ordentliches zuzutrauen war, mußte sich um die altertümliche Anlage kümmern, die Beete mit Frühjahrsblumenbüscheln bepflanzt haben, das Pfädchen harken, niedrige Heckenumsäumungen stutzen. Für verheiratet hielt Felix den Gasthofchef nicht. Der Unrat zwischen Eingangstür und diesem Zimmer deutete auf einen Junggesellenstand. Doch, das Gärtchen mit seinem Anklang von Vergangenheit, im Jahrhundertwendegeschmack, das Gärtchen nahm für sich ein. Der frisch angekommene Gast aber befand sich nicht in der Seelenverfassung für Beschauliches. Zu seiner Aufgebrachtheit kehrte er wie zu einer Verpflichtung zurück. Auch mit diesem Lebensgefühl der letzten Reisemonate, das alles habe er schon einmal mitgemacht – und besonders dieser Garten hier kam ihm wie eine Erinnerung vor, er mußte den Holunderbusch und die Tagetesrabatte schon einmal gesehen haben, ganz früh in der Kindheit, in dieser still verwunschenen Vorgeschichte zum neurasthenischen Mann, als der er sich heutzutage durchschlug – oh nein, damit, weil es ihn zu weich, zu rührselig gedankenvoll und romantisch stimmte und ihn angesichts der Gegenwart fahrig und unzuverlässig machte, damit wollte er sich jetzt nicht abgeben. Es gebot sich, darauf aufzupassen, daß man ihn nicht hereinlegte.

Besuch erwarte ich gegen Nachmittag auch noch, und ich kann mir nicht gut vorstellen, wie das unter diesen Umständen vonstatten gehen soll.

Felix fuchtelte mit dem rechten Arm, und es war ihm recht, daß er den Blick von Hilda Kandel zum Bett hin leitete.

Wir werden tun, was wir können, antwortete Hilda Kandel. Gedulden wir uns ruhig noch ein Weilchen, der Herr des Hauses wird ja gleich zur Stelle sein.

Herr des Hauses! Felix hatte den Gasthofbesitzer kurz zu Gesicht bekommen. Er war im Schlafrock erschienen, mittags um fünfzehn nach zwölf, und unter dem zerschlissenen Schlafrock hatte er am Hosenbund gezurrt. Ein braunes Toupet lag wie ein plattgedrücktes Stück Sachertorte auf seinem Schädel. Schädel! Der von Hilda Kandel wurde soeben vom Sonnenlicht geröntgt. Auf dem Nachttisch neben dem Kopfende des Sterbebettchens bemerkte Felix den privaten Wecker des Gasthofchefs und, eine halbe Minute danach, daß die Haare der Frau, die in aufgeweckter, gutgelaunter Gegnerpose ihm weiterhin zu nah stand, von Natur aus nicht rotbraun waren. Wieder zog er sich einen Schritt zurück, womit er jedoch, wie schon vorher, den Mechanismus ihres Aufholens in Gang setzte.

Zwei Meter Abstand muß ich haben, sagte er. Komplizierte Form der Weitsichtigkeit, schlägt gelegentlich auf den Solarplexus. Er klopfte gegen den Magen, und es tat nicht gut.

Entweder sind Sie ein Witzbold oder zu bedauern, sagte Hilda Kandel.

Lieber wollte sie ihn bedauern, für Felix stand das fest.

Ich bin einfach nicht richtig untergebracht, sagte er.

Wir finden schon eine Lösung, sagte sie.

Mit der Information, sie und er, sie seien – in ihren Worten – ein Jahrgang, war sie ihm vorhin veteranenhaft und langweilig vorgekommen. Sie belästigte ihn allmählich auf die krankmachende Art. Durch ihre Blickmanier erlitt er Schäden, und mit dem Gebrauch von Idiomatischem – ein Jahrgang, der Wonnemonat – wollte er sich nicht infizieren lassen. Licht fiel auf ihre ursprüngliche Kopfhautbepflanzung, und die Schädeldecke sah kränklich grau darunter hervor. Felix mußte an seine Kressezucht denken. Auf grauem Zellstoff, den er in einer Apotheke besorgt hatte, gedieh keine Aussaat mehr zur dichten, grünen Ernte, und nur um seiner Schwester, die ihm immer wieder Kressesamentütchen in Briefcouverts schickte, auf gar keinen Fall untreu zu sein, fuhr er in dieser Sämereiensitte fort.

Hilda Kandels Kopf sah im Sonnenstrahl nur mehr wie ein Köpfchen aus, Totenschädelchen fürs Adele Schopenhauer-Bett, und Felix erkannte in ihr das für sämtliche Gebrechen anfällige Lebewesen, das sie war, ganz so, wie er es war. Alles konnte ihnen beiden zustoßen, jederzeit! Ängstliche und zornige Panik kam in ihm auf. Der Widerschein vom Gärtchen schimmerte grün im Zimmer. Es war nicht auszumachen, ob Wehmut oder ein glücklicher, vielleicht großer und weiterführender Gedanke sich in der Anwandlung vergangener Zeiten bargen. Felix hoffte, etwas, das ihn geistig fort brachte, herauszufinden. Es fiel ihm außerdem ein, wie bedeutend es für seine Biographie war, sich auf Gertie Humbrechts Besuch hier in diesem Ort namens Heidinghausen zu freuen. Er konnte sich seit längerem in keine Frau mehr richtig verlieben, und vom heutigen Wiedersehen mit der in ihn verliebten Gertie hing manches für ihn ab. Hauptsächlich fürchtete er vorerst diesen Besuch. Als er mit ihr dieses Treffen eingefädelt hatte, war er noch ein Mensch gewesen, der es aushalten konnte, angeblickt zu werden.

Wieder wurde es dunkel im Zimmer und es sah nach dem nächsten Regenschauer aus. Selbst durch die Erscheinung der Wolken am Himmel fühlte Felix sich an Frauen erinnert. In den aufgedunsenen und bombastischen Gebilden erkannte er zurechtgeplusterte Frisuren. Nachbarinnen verfolgten eine die andere auf der Einkaufstour. Und sie waren alle, wie die Diplombibliothekarin Hilda Kandel, sein Jahrgang. Oh wie übel, wie uninteressant. Ohne die durch nichts signalisierte Gewißheit, in seinem Leben werde sich in nächster Zukunft eine Änderung ergeben, wäre Felix in diesem Moment dazu übergegangen, Hilda Kandel anzubrüllen. So rechtfertigte er seine Flaute, aus der er auf sie einen erledigten Eindruck machte.

Können Sie mir erklären, wieso ich diesmal keinen rechten Zugang zu Ihnen finde?

Idiotische Fragen wie diese stellte sie ihm. Sie saß jetzt, aber es sah vorübergehend aus. Sie brachte es fertig, zugleich vorwurfsvoll und freudig zu wirken. Felix betrachtete nun ganz von oben herab ihre Kopfhaut. Ungünstiger Boden, die Frucht bleich und vorgeschädigt. Wie wenig sie ihm voraushatte, wenn er einmal davon absah, daß Blumen und Obst ihr beistanden, und eine kompakte bodennahe Frauenwelt dazu. Nachlässig hatte sie sich auf ihn vorbereitet, nicht nur, was seine Unterbringung in ihrer überflüssigen häßlichen kleinen Kreisstadt anging. Nein, entsprechend war auch ihre eigene äußere Gestalt von ihr persönlich amnestiert worden. So muß es reichen, das genügt, ich sehe gut genug aus, hatte sie abschließend in ihrem gewiß verquer eingerichteten, mit Verzierungen ausstaffierten Wohnungsflur entschieden und war dann zu ihm geeilt. Felix Spring hielt es nicht für taktvoll und auch nicht für intelligent, wenn sich ein Mensch im Zusammenhang mit seiner Person unbekümmert benahm. Was ereignete sich denn in Hilda Kandels Leben schon an Maßgeblichem? Zeit genug wäre ihr geblieben, die Haartönung zu erneuern. Geschminkt hatte sie sich zu stark. Wieso trat Schminke von den Lippen aufs Zahnfleisch ihres Oberkiefers über?

Ich hatte diesen Zugang, sagte Hilda Kandel. Damals hatte ich ihn sofort.

Aha, machte Felix.

Ließe sich seine Gereiztheit noch steigern, dann geschähe das jetzt. Er wartete auf eine Klimax. Für einen Schimpfanfall war er überreif. Die Implosionen nützten ihm nicht, nur Entladungen nach außen hin kämen ihm zu Hilfe. Übertriebene Höflichkeit, ständige Unterdrückung brächten ihn eines Tages zur Strecke.

Die Diplombibliothekarin Hilda Kandel, eine ganz in schlammfarbenes Leder gekleidete und mit einem Reißverschluß zu öffnende Frau jenseits der Anfälligkeitsschwelle für Gelüste, mit denen ein Mann zwischen zwölf und eins in einem fremden Gasthofraum auf sie abzielen könnte, drohte dem Vortragsreisenden, ihrem Vertragspartner, nun ein bißchen mit ihrem staksigen hohen Blumenstrauß, und dazu stand sie wieder auf.

Gladiolen, lieber Freund, Gladiolen, jubelte sie, aber mit warnendem Unterton. Sie glich einer Vollstreckungsbeamtin, denn die Gladiolen bewaffneten sie wie mit Dolchen. Den Strafvollzug würden die drei steinharten grünen Äpfel gut ergänzen. Felix sah nicht kommen, wie er den Ort defekter Gastlichkeit verlassen könnte.

Es freut mich, daß Sie trotz allem Ihren Humor behalten, erwiderte Hilda Kandel.

Felix drehte seinen Kopf nach links und nach rechts, um die Suche nach seinem Humor zu spielen, aber er fand sich läppisch dabei. Er hielt sein Benehmen unaufhörlich für viel zu gesellig. Törichter lächerlicher alter Waschlappen! So verfluchte er sich stumm. Immerhin wiederholte er für diese Blumen- und Obstfrau im Zimmer, wenn auch mit schlapper, seichter und viel zu erbötiger Stimme:

Wie bereits erwähnt, ich bin auf beste Hotelzimmer angewiesen und hier bleiben kann ich nicht. Zumindest, ich glaube kaum, glaube kaum ... und mich erinnert mein Leben niemals an eine Humoreske ...

Nennen Sie mich doch Hilda, wenn Sie mögen. Felix! Alles, was zum Einleben dient, sollten wir nutzen, jedes Fitzelchen von Wärme.

Hilda Kandel stand schon wieder zu nah.

So grimmig kenne ich Sie gar nicht, sagte sie.

Felix rückte ab, blödsinnig feixend. Das Grinsen bildete

sich von selbst auf seinem Gesicht heran. Sein Gehirn befahl nichts Entgegenkommendes.

Damals übrigens, da haben Sie Hilda gesagt. Wir wurden vertraut miteinander und ich hab's nie vergessen können, es war so spontan.

Vor acht Jahren hatte Felix Spring in Heidinghausen ein trübes Gastspiel gegeben, und er erinnerte sich an beinah nichts. Verströmte Hilda Kandel nicht auch damals schon einen Lavendelwasserduft? Er hatte im CENTRAL-HOTEL gewohnt, einer schäbigen Bleibe nach der Norm. Geschwächtes Angedenken, es lieferte Felix den Haupteindruck seines Angetrunkenseins. Früher reiste er so, tagsüber zu diesem und jenem Schluck Schnaps bereit, abends mit der Neigung zu langem Sitzenbleiben bei zu vielen Gläsern Wein, die ihm dabei halfen, fremde Menschen ins Vertrauen zu ziehen. Dauerndes Bereuen an den darauffolgenden Vormittagen führte in die nächsten notwendigen und tilgenden Rauschzustände. Vom Alkoholspiegel her rührte auch die Wertschätzung, die er bei Hilda Kandel genoß. Vermutlich war er vor acht Jahren zusammen mit ihr und einer Weinflasche in eine allgemeine Weltverzweiflung abgesackt und hatte sich wohlgefühlt. Werweißwas mochte er noch zu ihr gesagt haben, außer HILDA. Er war entschlossen, während dieser Reise-Saison einen klaren Kopf zu behalten. Das halbherzige Sicheinmischen in fremde Angelegenheiten war eine Folge des Trinkens, glaubte Felix, und es raubte ihm Seelen- und Körperkräfte. Planvoll stand er zur Zeit eine nüchternere Phase durch. Noch war kein rechter Gewinn dabei auszumachen, er hielt sich nicht bei Laune, war meistens mürrisch und zu aufgeregt, Situationsängste und zwangsneurotische Beklemmungen beeinträchtigten sein Wohlbefinden unter Menschen, eine Menschenscheu wuchs sich zur Menschenfurcht aus, das sah er kommen. Andererseits hielt er es für angeraten, seit er über fünfzig Jahre alt war, sich um die Aufrechterhaltung seiner organischen Funktionen zu kümmern. Und mit Frauen seines JAHR-GANGS, mit Frauen in seinem Alter, nein, mit denen wünschte er sich nicht mehr einzulassen. Das ging zu leicht. Wie von selbst machte er bei diesen Frauen einen nachhaltigen Eindruck, Felix aber müßte den Anschluß an die übrigen Menschen wiedergewinnen, diejenigen, die sich in andere Menschen verliebten.

Bequemer war es schon, die Vortragsreisen mit einem benebelten Geist durchzustehen. Auf Vermittlung der Gesellschaft zur Förderung des Lesens und einer Agentur, die sich Bahlmann-Kreis nannte, bereiste Felix Spring in den Jahreszeiten für kulturelle Aufgeschlossenheit bei der Bevölkerung – Herbst, Winter, Frühjahr – das Inland und besonders häufig und gründlich die nordrheinwestfälische Provinz. Seit er die hastigen, schuldbewußten und froh-lockenden Abstecher zu den Kneipen und Getränkekios-ken unterließ und langes Herumsitzen mit denen, die sich hartnäckig privat für Felix nach den Veranstaltungen interessierten – hauptsächlich Frauen, sie verfingen sich wie in Netzen, wenn Felix rätselhaft zitierte, während er sich seinen Regenmantel überstülpte und dabei seine Zu-schauerinnen zu Müttern, Kindertanten machte, so unge-schickt sah das aus bei ihm – seitdem überanstrengte die Welt ihn aber auch.

Felix fühlte sich erneut stark von Hilda Kandel fixiert.

Bitte, suchen Sie keinen Blickkontakt mit mir, müßte er drohen. Wohin er den Blick wandte, er nahm noch mehr Schamott und faulen Zauber im Privatgemach des Gasthofinhabers zur Kenntnis: nun den knielangen, ange-schmutzten Bademantel aus gelblichem Frottiertuch. Vor der Schranktür war er auf einem Bügel so aufgehängt, daß Felix die Absicht verstand. Eine freundliche und doch schamlose Absicht: Felix sollte sich dieses Bademantels bedienen. Felix war hier überall zugelassen, auch nebenan im privaten Badezimmer des Inhabers. Er hatte kaum gewagt, dort hineinzuschauen, auf so viel Unrat wollte er sich nicht einlassen, nicht mit diesem flauen Gefühl im Magen.

Ich müßte meine kleine, Blutdruck hebende Perle einnehmen, sagte Felix.

Jedes Alter hat seinen Reiz, behaupte ich immer, trotz dieser und jener Wehwehchen, bemerkte Hilda Kandel.

Bitte, benutzen Sie nicht diese Sprache, dieses Frauenrotwelsch! Warum flehte Felix sie nicht an, am besten sowieso zu verschwinden? Einbußen da und dort, brummelte er stattdessen.

Sehen Sie es nicht zu schwarz, wandte Hilda Kandel ein.

Sie aber, so meine ich, Sie sollten es ruhig schwärzer sehen, antwortete Felix. Diesmal beglückwünschte er sich zu etwas weniger Unaufrichtigkeit. Er betrachtete seine Armbanduhr, als habe man sie ihm gerade erst übereignet.

Wo mag er stecken, der Gauner?

Sie meinen den Herrn des Hauses? Er wird sich alle Mühe geben, Ihnen oben eins der üblichen Gästezimmer herzurichten. Beißen Sie doch einfach mal in einen von diesen wunderschönen frischen Äpfeln. Sie werden schon sehen. Wissen Sie, der gute Mann hat das Beste für Sie tun wollen. Von den Bahlmann-Kreis-Leuten hatte ich nun mal immer das Eine im Ohr: Ohne Bad kein Vortrag. Jeder muß wohl seine kleinen Eigenheiten haben, und ich wollte nun mal nicht auf Sie verzichten. Also, so kam es zu dem Beschluß, zu diesen Tatsachen hier . . . und ein Telephon wäre ja auch da.

Hilda Kandel beschrieb mit dem Gladiolenstrauß einen Radius.

NUN MAL NUN MAL NUN MAL, äffte Felix sie innerlich nach.

Haben Sie den Haufen Unrat gesehen, hier hinter dieser Tür, fragte er. Der Gasthofmann muß alles zusammengerauft haben und dorthinein versenkt, in diese Kammer, und das Bad ist selbstverständlich für einen Menschen, der mit diesem persönlichen Kram nicht täglich Kontakt hat und sich also abgebrüht hat, völlig unbenutzbar, ja es ist unbetretbar, sogar in Straßenschuhen.

Ich mag an Ihnen, daß Sie meutern, doch doch, überempfindlicher Felix!

Hilda Kandel trat zu dem hochbeinigen Tischchen, auf dem ein Tête-à-tête-Service von gebrechlichem Aussehen arrangiert war. Das Geschirr befand sich in einem ungenügend gereinigten Zustand. Hilda Kandel hob die kleine Kaffeekanne an und schaute mit fragendem Ausdruck auf Felix, der versuchte, aus ihrer Tätigkeit eine Erholungspause für seine konfusen Sinne zu gewinnen.

So trinken wir doch einen Schluck Kaffee, feuerte Hilda Kandel sich selber an.

Felix sah mißtrauisch dem regenpfützenbraunen Strahl zu, der als Kaffee deklariert in eines der Täßchen lief.

Sie wollten Ihr Medikament schlucken, nicht wahr? Und aufs Kochen versteht sich der gute Mann, er führt den Gasthof zur Begeisterung der Bürger. Mag er auch als Zimmerwirt Ihren Geschmack verfehlt haben . . .

Vor Zeugen konnte Felix zur Zeit weder trinken noch, wenn es besonders schlimm stand und mit seiner Neurasthenie hoch kam, essen. Er fing an, überaus zapplig zu werden. Fast spürte er, wie die Angst bei ihm zugriff, fast sah er Fangarme.

Für jemanden wie Sie, Felix – und ich sage jetzt einfach mal Felix – für solch einen Hochkarätigen bemühten wir hier uns um die persönlichsten Umstände. Hilda Kandel ließ die Kaffeekanne stehen, legte die Blumen ab, sie brauchte jetzt beide Hände, in die sie klatschen wollte: diesen Einfall konnte man beobachten. Sie klatschte jetzt und rief sich BRAVO zu, fügte an: Gut gemacht, Hilda, wenn auch spät. Hat lang gedauert, bis ich drauf kam: warum wohnen Sie nicht einfach bei mir? Meine Wohnung ist klein, aber fein, gewissermaßen. Ein Gästezimmerchen wird schnell hergezaubert sein.

Vielen Dank, sehr liebenswürdig, stammelte Felix, der befürchtete, das würden seine letzten Worte sein. Es wunderte ihn, daß er doch noch mehr herausbrachte: Warten wir ab, was der Hotelier oben angerichtet hat.

Hotelier! Großes Wort. Aber immerhin hatte Felix zwischen sich und die Frau, die den intimen Zauber androhte, eine Sperre gesetzt.

Ich wollte Ihnen sowieso ein wenig aus meinem eigenen bescheidenen Werk vorlesen, wie damals, und natürlich nur, wenn Sie mögen.

Mögen! In dieser Gegend sprach man so, wußte Felix, aber plötzlich war ihm das Wort MÖGEN furchtbar widerwärtig, und ohnehin nahm er alles als persönlichen Angriff. Ich MAG, du magst, er sie es mag, sie mag und mag und mag mich mögen. Ich muß hier weg!

Es geht außerdem drum, daß ich Besuch erwarte, murrte Felix.

Sähe Hilda Kandel endlich einmal irgendwo anders hin, nicht unentwegt auf ihn, dann könnte Felix sein Leben retten und einen Schluck Flüssigkeit zu sich nehmen. Wirklich, er tränke dann, oder nippte, von diesem Unwettergesöff.

Beim Lächeln enthüllte Hilda diesmal eine besonders große Partie Zahnfleisch des Oberkiefers. Noch mehr Lippenschminke war mittlerweile dort hingelangt. Wie stellte sie das an? Felix machte sich nichts aus geschminktem Zahnfleisch. Überhaupt aus Zahnfleisch.

Kommen denn Sie selber noch zur Arbeit? fragte Hilda Kandel, und selbstverständlich sah sie ihn jetzt erst recht an.

Zur Arbeit? Zu nichts anderem, ich bin bei der Arbeit, zum Beispiel jetzt, heute, oder?

Das Schreiben, Felix! Ich meinte, ob Sie zum Schreiben kommen!

Wissen Sie, ich halte Nichtschreiben mittlerweile für talentierter. Das Talent, dieses ungeheuerlich weitverbreitete Schreibbedürfnis zu unterdrücken. Ha ha!

Ohne sein HA HA und nachgeschobenes Gehuste hätte der Hieb gesessen. Vorausgesetzt, sie gäbe sich den Ruck und faßte Mut, sich für seine ehrliche Meinung zu interessieren. Hierzu schien sie nicht entschlossen. Sie ergänzte seine Lachandeutung zum richtigen heiteren Ausbruch und sagte:

Oh ich erinnere mich so gut an Ihren Rat vor acht Jahren: keine Angst vor den Hilfsverben, so haben Sie doziert. Sie meinten es gut, aber merkwürdig, ich mag sie nun einmal nicht, die Hilfsverben, und was ich sehr mag, das Suchen, nein ein richtiges Fahnden ist es, eine Fährtenpirsch, und zwar nach dem optimalen Verb, so ist das.

Aha-Sagen genügte Felix nicht. Es überraschte ihn selber, daß er sich derart reden hörte:

Und ich MAG MÖGEN nicht.

Wie bitte?

MÖGEN! Sie MÖGEN das Wörtchen MÖGEN.

War MÖGEN ein Verb? Sicherlich war es ein Verb. Kein WÖRTCHEN.

Ich mag Sie, Felix, antwortete Hilda Kandel.

Sie strahlte ihn an, und wenn er nicht ersticken wollte, dann mußte er sich von ihr abwenden.

☆

Zehn Minuten später saß Felix in einem rosafarben ge-
tünchten Zimmerchen im sogenannten Hoteltrakt, und
war allein. Er saß auf der weichen, mit einem Frottierstoff
überzogenen Matratze und mißtraute jedem Gegenstand.
Schon vermißte er das Gärtchen. Der Blick aus dem in die
Ecke geklemmten Fenster ging auf eine Geschäftshausseite-
tenmauer und schräg hinüber zur unentwegt von schweren
Kraftfahrzeugen befahrenen Hauptstraße. Für den Fall,
daß Felix etwas lesen wollte, müßte er den Zimmersessel
ins Wasch- und Toilettenkabinett rücken. Die Lage war
weiterhin empörend, doch immerhin – keinen Blicken
mehr ausgesetzt – konnte Felix jetzt trinken und rauchen.
Vorhin in der Gesellschaft der Diplombibliothekarin hatte
er auf den Versuch zu rauchen verzichtet, aus Angst. Es
passierte ihm in extremen Notfällen, daß sein rechter Arm
erschlaffte, daß ihm die Finger, in denen er die Zigarette
hielt, den Dienst aufkündigten, und er sich vom Kopf
herunter in ein Paralysiertwerden geschleift fühlte.
Es drängte ihn nicht, spazierenzugehen, aber er wußte,
wie notwendig jetzt etwas Bewegung war. Ehe Gertie hier
erschiene, brauchte er Abwechslung und körperliche Bewegung. Der Regen fiel gleichmäßig auf die Gärtchen
ohne Hausfrauen, in die Felix schaute. Er absolvierte ein
Wohnviertel und kam ins Flußtal. Hilda Kandel hatte ihm
die Agger anempfohlen, also wollte er sie meiden. Ach,
wie viel Widerstand erforderlich war und doch an ihm
Schaden anrichtete. Und er war doch in guter Verfassung
nach Heidinghausen aufgebrochen, nach der schmerzlichen Trennung, wie immer: einer schmerzlichen Trennung, von seiner Schwester. Die Spring-Geschwister lebten schon seit 16 Jahren zusammen und eigentlich hätten
sie nicht definieren können, worin ihr Zusammenleben
sich von dem eines kinderlosen Ehepaars unterschied. Im
Liebesgrad? Ein ihnen beiden ähnliches Ehepaar müßte

eng ineinander verstrickt sein, sich so zwangvoll wie Blutsverwandte lieben, dachten sie. Felix empfand etwas Unzeitgemäßes an seiner Art zu leben, er brüstete sich damit, wobei er sich anstrengte, denn die schmerzliche Komponente der Angelegenheit machte sich dauernd bemerkbar. Er dachte nicht gern daran, wie anders das Leben seiner Schwester und auch sein eigenes verlaufen wäre und sich in die Zukunft fortsetzte, wenn es mehr als nur aus der Ferne eines irrläuferhaften Angedenkens dem irgendwann einmal erträumten gliche.

Die bäuerliche Gegend, die an ein Neubauviertel angrenzte, mit ihrem Appell an ihn, sich frei und wie in die Kindheit zurückversetzt zu bewegen, stimmte Felix allmählich um. Von der Bibliothekarin, dem Gasthof und den Gedanken an seine abendliche Veranstaltung kam er geistig ab, auch Gerties Besuch schob er aus seinen Überlegungen, und versuchte, dem Augenblick in der Natur zu huldigen. Schöne Hügelgegend, entschied er plötzlich. Auf einem mit Gerste dicht bewachsenen Acker schimmerte gelblich schon ein Abglanz der noch schmächtigen Ähren, und über den Acker zu schauen, kam einem hellgrünen Rausch gleich. Stichwort Rausch! Jederzeit möglich, der verkommenen und ungerechten Wirklichkeit auszuweichen, vorausgesetzt, keine Zuschauer hinderten Felix am Hinunterschlucken erster, zweiter und dritter Kornschnäpse.

Anjachen! Was treibst du nun? Kommst aus der Buchhaltungsabteilung von HOLLWEGE hervor und endlich auch ins Freie, wo dein Bruder nichts von dem geistesgegenwärtigen Genießen der Freiheit versteht, wo er nur wie ein Hornochse, ein am Brüllen gehinderter Krakeeler, Ärger und Kummer in sich hineinfrißt und herumstümpert, anstatt für dich noch von verhältnismäßig ungeknebelter Bewegungsmöglichkeit Gebrauch zu machen. Anja ging, im festen Angestelltenverhältnis, einer geregelten Arbeit nach, verdiente für sie beide als Basis so viel, wie unentbehrlich war, den Haushalt versorgten sie gemeinsam nach Gutdünken, und wenn Felix keine Dienstreisen unternahm, kaufte er Lebensmittel ein; oft taten sie aber auch das gemeinsam. Wenn einer allein in die Stadt ging, nannte der Zurückgebliebene das ein OPFER, bezichtigte sich des Verwöhntwerdens, und ähnlich hielten sie es mit schwergewichtigeren Aktionen beim Reinigen der Zimmer und der Küche, nur sehr selten offenbarten sie einander und sprachen sich der Faulheit schuldig, besonders Felix galt als der zu Besserem Bestimmte und wenn er nicht arbeitete, dann hielt davon ihn eine nervliche Untauglichkeit oder die Schwelle zur Wirklichkeit zurück. Brach Anja bei solchen Gelegenheiten für sich selber den Bann und wischte irgendeinen Boden auf, so verdammte Felix sich in schwermütiger Selbstjustiz zum Seufzen und setzte sich vor seinen Schreibtisch, wo er in Manuskripten zwischen viel zu vielen angefangenen Seiten wühlte. Am Schreibtisch begann er sofort zu schwitzen und sich mit einem Durstgefühl nach einem grundsätzlich anderen Leben zu sehnen. War Anja aber allein zu Besorgungen in die Stadt gegangen, dann – zwar auch am Schreibtisch, aber ohne die Finger in Papier zu betätigen – döste Felix nicht ohne Hoffnungen auf zukünftiges Fortkommen vor sich hin, und nicht lang nach ihrem Aufbruch klingelte das Telephon, und sie meldete sich aus einer Zelle in der Innenstadt. Gegen die Einsamkeit des Bruders und gegen das langsame Davonrinnen der Zeit rief sie ihn an. Anjachen! Es kam vor, daß sie einander in die Arme fielen, klagend und lachend, weil das Leben so grotesk und so unbegreiflich war, und weil sie einmal klein und jung gewesen waren und nun immer älter wurden. Streit hatten sie auch. Zerwürfnisse über winzig kleine Angelegenheiten trennten sie manchmal stundenlang. Anja war drei Jahre jünger als Felix, gerade erst fünfzig, hatte ihr Kindergesicht bewahrt und war dünn geblieben, sie aß aber gern und reichlich und glaubte an Gott, so vermutete Felix in dumpfer Erwartung. Ein Zusammenleben, bei dem keiner an irgendetwas Unvorstellbares glaubte, hätte er von Anfang an mißbilligt. An seine kurze Ehe mit einer ausgesprochen hiesig-diesseitigen Person erinnerte er sich kaum noch, nur daran, daß er ausgiebig und häufig untreu gewesen war. Damals hatte noch nicht seine Person die Frauen angezogen, damals hatte er, im festen Engagement, sich zum Beispiel Hamlets Konfusionen ausgeliehen und damit Anziehungskraft ausgeübt.

Anja würde mißbilligen, aber freundschaftlich, daß er bei seinem Spaziergang immer nasser wurde. Das Bewußtsein, er nehme einen verwegenen Ausdruck an, ermunterte Felix, und er kam gut hügelaufwärts. Von einem Ausblick zum andern wollte er hier draußen umherstapfen, und sein Ideal wäre erreicht, wenn er die Stunde, zu der Gertie sich angekündigt hatte, völlig vergäße. Kräuselte sich sein braunes Haar? Er hoffte das. Ungemähte Wiesen zu seiner Linken und ein rostbrauner Acker, in dem reihenweise kleine grüne Zuckerrübenpflanzen steckten, zur Rechten, so ging er eilig weg von Heidinghausen und seinen häßlichen kleinstädtischen Zumutungen. Ganz bezaubert wünschte er sich zu sein. Und Anja wäre bezaubert. Sie liebte die unwillkürlichen Anordnungen von Unkräutern an Wegrändern. Das weiße hier, das waren Schafgarben. Schafgarbentee trank er an manchen Abenden sogar mit, wenn er sich kathartisch aufgelegt fühlte, an Abenden mit abgeschworenem Alkohol. Aus den Unkräutern mit blauen und violetten Blütchen hatte Anja als Kind Sträuße zusammengepflückt. War es eigentlich sinnvoll, jetzt sentimental zu werden? In einer langsam abklingenden Aufregung war Felix hierher gereist, an den Programmpunkt im Terminkalender, der Heidinghausen hieß, umsäuselt von sanfter Melancholie. Gelegentlich gab er sich willig den leicht weinerlichen Gemütsverfassungen hin. Sie linderten seine Atemnot, die ihm bei Abreisen zu schaffen machte und ihn ohnehin immer dann befiel, wenn er sich zu gründlich auf die Gegenwart einließ.

Ich habe zwei Aussichten, ich habe aber nur eine Wahl, resumierte er, den Blick in die Nebelregenhüllen, in denen sich frühjahrsgrüne Wälder und lang hingestreckte Felder bargen. Entweder stirbt mein Liebling, meine Anja, mein Schwesterchen, oder ich, ich sterbe. Das sind die zwei Zukunftsaussichten. Meine Wahl, die einzige, die ich habe, liegt in der Entscheidung, welche Aussicht ich für besser halte. Felix wollte, in seinem Zugabteil auf der Reise nach Nordrheinwestfalen, in Nachdenken darüber versinken, welcher Weg schwerer und schrecklicher zu begehen wäre: der von Verlust triefende, amputierte Weg ohne Anja oder der, zu dem er einen Mut wie für noch nichts sonst in seinem bisherigen Leben brauchte, einen Mut, vor dem Felix schauderte, den Mut, auf eigene Veranlassung zu sterben.

Aber wie überhaupt? Mit Tabletten, und wären genug und von der geeigneten Sorte vorrätig? Felix schwebte so ein Tod nach Frauenmanier nicht vor. Beim Gedanken an die Hausapotheke wurde ihm wieder einmal bewußt, wie fahrig er sich verhielt, wenn es um die Aufrechterhaltung seines staatsbürgerlichen Existierens ging. Alle Administration lag in Anjas Händen. Ihren Bruder schützte sie vor Abbuchungen und Stornierungen, Kontoauszügen, menschenverächtlichen Formularen in Computerschrift und vor der Briefpost des Finanzamts, vor Familienstammbüchern und Pfandbriefen und Lebensversicherungen – war sein Leben versichert? Felix vermutete das. Bei seiner Abschiedsszene mit Anja hatte er seine Schwester angebellt wie gewöhnlich, aber das vergaß sich jetzt im Abteil leicht zwischen Regenwolken und allgemeiner, ungenauer Absicht zu Trübsal, aus der Geduld und Hoffnung erwüchsen, und Weltschmerz, der Felix immer noch irgendwie weitergebracht, wiedererweckt hatte. Und Anja nahm ihm kein Schimpfen übel, denn es ergab sich aus seinem Unbehagen angesichts der Trennung von einem einigermaßen sicheren Ort, und aus der Hochspannung, unter der Felix stand, wenn er sich auf die unzulänglichen Bedingungen einer Reise einließ. Meistens geriet er schon auf den Bahnhöfen in eine Laune der Beanstandung. Im Zug raunzte er den Schaffner an: Keine Zugbegleiter-Faltblätter mehr? Wieso das? Auch abgeschafft, wie allmählich alles abgeschafft wird, das noch ein wenig an Komfort erinnert? Muß denn täglich irgendwas schlechter werden? Der Schaffner blieb mitleidlos, auch unerschüttert. Ringsum Passivität, Borniertheit, träges Anpassen bis hin zum Einverständnis. Niedergang, wohin man blickte, und an dem das Empörendste war, wie alle diese Zeitgenossen ihn runterschluckten. Keine Aufsässigkeit weit und breit. Mitläufermenschheit, Sonderangebotsidioten. Felix, von keinen Blicken behindert, konnte jetzt, verregnet zwischen einem verlassenen Steinbruch und Weideland, frei und ohne Schluckbeschwerden sprechen. An einer Weggabelung entschied er sich für die kühnere Variante, und nach Heidinghausen blickte er nicht zurück. So ließen sich nur entschlossene, unbesorgte Menschen auf Wanderungen ein, ohne Angst vorm Verirren. Warum hielt er überhaupt Abend für Abend seine vertraglichen Versprechungen und erschien pünktlich am Veranstaltungsort?

Ich konnte unmöglich, um meiner Menschenwürde willen, zwischen diesem Gasthofkrempel bleiben, mich in ein

Sterbebett legen. Felix hörte sich zu, wie er Gertie Bericht erstattete. Doch kaum stellte er sich Gertie in ihrer hellblonden, lustigen Leibhaftigkeit vor, da geriet er sogar beim einsamen Schimpfen ins Stottern, und ihn verlangte wieder nach einem alkoholischen Getränk. Und er dachte sich in seine Wehmut angesichts bewölkter Reiserouten zurück, in sein Sinnieren über das Getrenntwerden von geschwisterlich Liebenden durch den Tod, aber er spürte nur die seelisch-geistige Flaute, die er zur Zeit mitmachte. Zu seiner Rechtfertigung stellte er sich diese Diagnose, sprach sich frei, beruhigte sich: Hast du dir verdient, mein Alter, und es geht vorüber. Umsonst wartete er auf Beschwichtigung, erst recht auf Heiterkeit.

Plötzlich kam ihm sein freies Ausschreiten südwärts zu riskant vor. Es zog ihn zwar noch in die Richtung einer fernen, im Dunst lockenden Reihe von Telegraphenmasten, die sich auf einem Hügelkamm in den Horizont zog, und hinter diesem vorerst letzten Hügel läge das Meer, auch die, weil Wind aufkam, wellenförmig bewegte blaßgrüne Fläche der Wintergerste erinnerte Felix an die Küste, und er hatte große Lust, das Meer wiederzusehen. Und doch befand er sich bereits auf wieder einmal einem Rückweg. Müde, passiv, vorsichtig fühlte er sich, und ohne Wirkung auf sich selber, zwischendurch hitzig. Wie dieses auf schwachen Halmen empfindliche Getreide war er sehr leicht in eine Aufwallung zu bringen.

Für Gertie dürfte nichts von allen diesen unangenehmen Halbwahrheiten offenbar werden. Felix wünschte, ihr anbeterisches Verhältnis zum Götzenbild, das er ihr war, bliebe erhalten. Er mußte sich diesmal verlieben, komme was wolle. Seelische Scherereien konnte man Frauen sehr gut anvertrauen, durch sie gewann man an Ansehen – körperliche – dieses gesamte Stottern der Funktionen – galt es zu verschweigen. Gertie sollte nicht bemerken, wie

er Flüssigkeit womöglich an seinen Lippen vorbei bugsierte. Aber er könnte ihr predigen:
Ich fand mich unvermittelt im Innern eines Friedhofs wieder. Ein alter, nicht mehr von neuen Toten benutzter Friedhof, wie ein Park. Ungewöhnlich viele Laubbäume. Grabstätten vorwiegend aus rötlichem Sandstein. Und ich blieb stehen, um auswendig zu lernen, wie verständnisvoll und wie freundlich Gott spricht: »Und ihr habt nun auch Traurigkeit, aber ich will euch wiedersehen.« Was ich mir für meine Diskussionsabende merken will, steht in diesem Schlußsatz: ». . . und an dem Tage werdet ihr mich nichts fragen.«
Viel zu langer Text für einen Gasthaustisch, an dem er mit Gertie säße, in knapp zwei Stunden schon. Gertie hingegen war leicht zum Sprechen zu bringen, kein Problem, sie anzuleiern, nur müßte er ihrem Blick standhalten. Er würde ihr anvertrauen, und es würde ihm zur Ehre gereichen:
Ich bin seit Wochen ohne Einfälle für die Weiterarbeit an meinem Vortragszyklus über »Die Veränderung des formalen und thematischen Rangs der Landschaftsschilderung im erzählerischen Werk von Anton Pavlovič Čechov«, und dieses »ohne Einfälle« wäre gleichbedeutend mit Resignation, Lustlosigkeit, die ihrerseits für einen hohen Intelligenzgrad standen. Am intelligentesten waren nun einmal die Leute, die sich jeglichen Eifers enthielten.
Felix hatte sich angewöhnt, ziemlich sofort nach Vortragsbeginn sein Publikum zum Gespräch einzuladen. Er führte einen Monolog, blickte in erstaunte, mit Argwohn und Neugier aufwachende Gesichter, er machte sich zum Clown und wußte, bald höbe sich der erste Arm, denn mindestens einen Menschen mit ausgeprägtem Selbstbewußtsein gab es überall. Es war nicht so, daß Felix sich

nach Fragestellern gesehnt hätte, ganz und gar nicht. Aber die Tischplatte verwuchs mit seinen aufgestemmten Unterarmen, sein Herz ruckelte hinter den Rippen, Sehstörungen verwischten die Zeilen auf dem Papier, wenn er längere Zeit vorlas. In abgetakelten Eilzügen kurz vor einer Ankunft versuchte er, sich ein wenig besser vorzubereiten, aber kaum schaute er in sein Manuskript, da mußte er auch schon nach Luft schnappen und sein Gesicht fing bis hinter die Ohrläppchen zu glühen an. Er meinte zu fühlen, wie er am ganzen Körper häßlich wurde. Und wenn zu diesen Symptomen die äußere Einwirkung des Angeblicktwerdens sich bei Abendveranstaltungen gesellte, fühlte Felix die Notwendigkeit, den örtlichen Rettungsdienst zu alarmieren, und nur deshalb legte er seine Notizen weg, forderte zu dem auf, was bei seinen Mitmenschen ohnehin am meisten zählte und ihn so beliebt machte, ein in Felix' Augen eigentlich lächerliches und unehrliches Ereignis mit den Etiketten KONTAKT, KOMMUNIKATION.

Und an diesem heutigen Abend, vermutlich von der ersten Stuhlreihe aus, würde Hilda Kandel ihn fragen, verschmitzt, als wolle sie ein Kind zum Breikosten anstiften: Sie, Herr Spring, haben anscheinend und zu unser aller Bedauern resigniert und Sie verfassen keine Lyrik mehr. Können Sie mir erklären, warum eine Amateurin wie ich es bin, ihre Zeile schreiben muß, Abend für Abend?

Es regnete wieder stärker, als Felix gegen die Gasthaustür schlug. Der Inhaber war nun mit einem karierten Hemd und schwarzen Hosen bekleidet und im Begriff, sich eine altertümliche, handwerksgesellenmäßige große Schürze umzubinden. Er war zwar rasiert, hatte aber an Lage und

Gestalt des Sachertortenstücks gar nichts geändert, und sein ganzer Stil erinnerte an eine Operetteninszenierung. Der Mann wirkte unterwürfig und schnüfflerisch. Ein unguter Wissensdrang sprach aus seinen hellblauen Augen.

Schon zweimal rief eine Dame für Sie an, sagte er und hielt auf halber Höhe in einer Haltung des Andienens inne. Kann das sein: eine Dame namens Heinz. Sie wird sich verspäten, sie wird zum Essen nicht eintreffen können.

Felix strengte sich an, um sein Gegenüber mit einer gleichmütigen Miene zu enttäuschen. Überrumpelt fühlte er sich, hereingelegt, von Gertie in einem ekligen, widerwärtigen Komplott gegen ihn. Gertie fürchtete ihn nicht, und eigentlich schätzte er ihre Unabhängigkeit. Im Stillen zollte er ihr Respekt für ihre Freiheit. Aber wenn es so stand, wenn sie sich wertvolle Zeit in seiner Gesellschaft entgehen ließ, dann handelte sich das nicht mehr um die persönliche Freiheit eines verliebten Menschen, sondern um Tapsigkeit, um das Verzetteln bei geistloser Haushaltsführung oder um das zu lange Liegen auf dem Sofa, und kam, in hoher Dosierung, einer Schädigung seines Sicherheitsbewußtseins gleich.

Andererseits: er könnte unangeblickt Nahrung und Flüssigkeit aufnehmen. Eine eigentlich gute Lösung, dachte Felix, der den Gasthofstatisten losgeworden und in seinem inzwischen schwärzlichen, vom Regennachmittag eingetrübten Zimmer angelangt war. Er knipste den Lichtschalter an. Vom Rosa der Wände schimmerte nur ein dumpfer Braunton über das Mobiliar, das wie vor einer allgemeinen Verwahrlosung mit knapper Mühe und Not gerettet zu sein schien, hier in dieses Zimmer Nr. 1 zusammengepfercht. Weil Felix nicht wütend werden wollte, zwang er sich, einige Eintragungen in sein Merkheftchen zu machen. Aber die Hand zitterte beim Schreiben: »Nur immer

für wenige Augenblicke gelingt es mir, mit einem freund-schaftlichen und zutraulichen Gedanken des Todes be-wußt zu sein.« Der Verkehrslärm von der Hauptstraße war jetzt so laut, daß Felix sich wie ein Unfallopfer vorkam. Ein Omnibus überfuhr seine Beine. Seinen Rük-ken rammte ein Motorrad. Ihm wurden von Autoreifen beide Hände plattgewalzt. Ehe noch mehr passierte, stand Felix auf und rief sofort Hilda Kandel an. Und wenn er verdursten und verhungern sollte, er rief in die schmutzig gelbe Membrandose:
Hätten Sie Zeit und Lust? So? Ja? Ja dann, ich würde dann rüberkommen.

Zu Hilda Kandel paßte die Zeile, mit der sie vor ein paar Jahren versucht hatte, auf dem Heiratsmarkt etwas Gün-stiges zu erwischen: »Ich habe es satt, allein zu frühstük-ken.« Sie erzählte unbefangen von den fünf Männern, die sich in die engere Wahl verfangen hatten, und Felix mußte an ein Spinnennetz denken, im Zentrum sah er die kriti-sche Wächterin Hilda, der kein Beutetier gut genug schmecken wollte. Zwei dieser Männer nannte sie Manns-bilder. Einer hatte ihr ausgesprochen gut gefallen, aber nicht fürs Frühstück. Auch ein Abendessen, fand Felix, besaß bei Hilda Kandel Frühstückscharakter. Ihre priva-ten, schließlich dann doch mit niemandem geteilten Früh-stücksgewohnheiten wandte Hilda Kandel an, als sie nun ein gekochtes Ei auslöffelte und den weichen Inhalt über ein ausgehöhltes Brötchen tröpfelte, während sie, mit dem ersten und genießerischen Bissen – endlich kam Glanz in ihre braunen Augen – über die Literatur des ausgehenden Mittelalters sprach.
Zwischen zwei komplizierten Brötchen-mit-Ei-Batzen – Hildas Schneidezähne schlugen baukranähnlich in den

Teig mit glibbrigem Belag, und ihre Lippen rafften weg-
strebendes Material – verstand sie es, Felix anzulächeln.
Er wich ihrem Blick aus, weil er einen Schluck Wein
trinken wollte, und Lust, ein weichgekochtes Ei zu essen, bekam er ebenfalls. Zuvor aber mußte diese Frau
von ihm entweder abgelenkt oder, weil Ablenkung vermutlich nicht zu erreichen war, ins Vertrauen gezogen
werden.

Ich bin mir selber ein Greuel, beteuerte Felix, aber ich muß
mich zu einer anankastischen Krise bekennen, nichts
Schlimmes . . .

Wie bitte? Wozu? unterbrach ihn Hilda Kandel. Besorgt
sah sie nicht aus, eher glich sie einem Menschen, der beim
Auswickeln eines ihm zugedachten Geschenks zuschauen
möchte, vergnügt, des Inhalts ziemlich gewiß.

Der anankastische Mensch ist übergewissenhaft, überge-
nau . . . begann Felix und heimste daraufhin den ersten
kleinen Schluckerfolg ein. Es gelang ja, er konnte ja
trinken!

Nun enttäuschen Sie mich aber bloß nicht, rief Hilda. Sie
sind vom Wesen her ein künstlerischer Mensch und ganz
sicher das Gegenteil von solch einem Pedanten, wie Sie ihn
zu schildern im Begriff sind.

Um dieser Materie willen, Felix beklopfte seinen Rumpf,
um ihrer existenziellen Erhaltung willen muß ich essen
und trinken . . .

Gewiß doch, greifen Sie zu!

Ich müßte, um das zu können, in meinem derzeitigen
Zustand unbeobachtet sein, sagte Felix und schämte sich
sofort, weswegen er in ein mißtönendes sinnloses Gelächter ausbrach. Halb so schlimm, log er abschließend inmitten der Wahrheitsfahndung. Ein bißchen auf den richtigen
Weg gekommen fühlte er sich doch. Auch fing er an, es bei
Hilda Kandel behaglich zu finden.

Wissen Sie, was ich anstrebe? fragte sie.

Oh nein, ich glaube nicht, nicht genau, antwortete er.

Auf ihrem indianisch gestrickten Wams mußte Hilda Kandel etwas Gelblichweißes, Glasiges entfernen, und für die Seelenruhe, mit der sie es erledigte, genierte Felix sich, bis er seinen Irrtum erkannte: das war kein Nasenschleim, war vielmehr zusammengerührtes Inneres vom Ei. Hilda sagte:

Erschrecken Sie nicht, aber ich möchte Sie zum Weinen bringen. Gewiß, klingt brutal, d'accord. Aber ich mag nun mal, wenn Menschen ehrlich werden. Ich mag den Zündungsmoment, wissen Sie? Zur Ehrlichkeit. So! Schnapp!

Felix verfolgte aus den Augenwinkeln – er traute sich nicht zu, voll die Frau gegenüber am kleinen Tisch anzublikken – eine merkwürdige, magierartige Fingerbewegung: Mittel- und Zeigefingerkuppen rieben rasch aneinander vorbei, und resumierend schnalzte Hildas Daumen diese Zauberei zurecht. Einen Dreiviertelmeter höher an diesem Menschen hinauf sah man das Eßgeschehen, und eine zueinandergehörige Lautmalerei entstand.

Weinen, aha, machte Felix. Ich vermute nicht, daß ich dann ehrlich wäre.

Es geschähe aus Wärme für Sie, als Heilmethode, wie Sie wollen, denn wessen Sie bedürfen, das ist ein Tränenstrom, stundenlang. Ich selber machte diese Erfahrung vor – Moment mal, vor dreieinhalb Jahren.

Hilda Kandel ging zum Essen von Käse in Scheiben über.

Auch ich müßte etwas essen, murmelte Felix. Lesen Sie mir etwas vor, fügte er laut hinzu.

Nicht beim Essen, sagte Hilda. So essen Sie doch!

Ich fürchte, einen Schreckschuß zu erhalten, sagte Felix, er hatte Hunger und war reif für die Offenheit. Kurz bevor ich diese Gabel anhebe, könnte es sein . . . ich stehe unter

Strom, unter einer hohen Volt-Dosis, nicht daß ich mich darin auskennen würde . . .

Wir hatten einen hochinteressanten Vortrag über Edison, letztes Trimester, rief Hilda. Ich hätte niemals erwartet, daß es so interessant sein könnte, von Edison zu hören.

Der Tod, irgendeine Blamage, etwas Derartiges trifft ein, sagte Felix und fühlte sich ungestört wie bei einem Monolog. Er stellte fest, daß er währenddessen aß, wahrhaftig, er nahm Nahrung auf, bewegte einen guten Bissen Grahambrot in seinem Mundraum. Die Epilepsie, sagte er, und seine Laune besserte sich noch mehr, weil er bemerkte, wie er dazu imstande war, auf einer Eierschale mit einem Löffelchen herumzuhämmern. Keinerlei Paralyse, sein rechter Arm diente ihm tadellos.

Überhaupt, lieber Felix, Fachgebiete! Hilda sah ihn schwärmerisch an und nahm einen kräftigen Schluck Wein. Für Reißverschlüsse schien sie viel übrig zu haben, denn unter dem ledernen Etui – einem Mantel, den sie im Gasthof getragen hatte – war sie mit einer Wolljacke bekleidet, in deren vorderer Mitte sich ein Reißverschluß bis hinauf zum Kinn in mehrfachen Kragenverwulstungen schlängelte, und das indianische Strickwämschen legte sie nun ab, ausreichend von der Kalorienzufuhr erhitzt wie sie war.

Die Fachgebiete entpuppen sich als wahre Pompeji, Tarquinia und wie sie alle heißen, die Ausgrabungsorte, also was ich sagen will ist dieses: wir hatten Herrn Schiepach hier, oder nein: Schiepbach, ein P und ein B. Seine Fachwelt: die südamerikanischen Beuteltiere. Man sollte nicht meinen, nicht auf Anhieb, welche Vielfalt sich auftut, wenn einer ganz und gar sich einer bestimmten Sache verschrieben hat. Da gibt es nämlich nun nicht nur ein Beuteltier, oh nein, es gibt Gruppen und Untergruppen und . . .

Eine Akropolis für sich, südamerikanische Beuteltiere, unterbrach Felix, der vergnügt war. Das Einstimmen in Hilda Kandels Glückssehereien fing an, ihn zu heilen. Sofort gäbe es ein schönes Ei zu essen. Es gelänge! Wohl fühlte er sich.

Hilda Kandel erzählte:

Herr Schiepbach war genau so eine Fundgrube wie der Herr, der über Edison sprach. Moment mal, oh ja, Regner-Koch, es war Regner-Koch, wahrscheinlich haben Sie von ihm gehört.

Ja, ich glaube schon, log Felix und schnappte nach dem Eigelb. Mittlerweile glückte sogar das Angeblicktwerden.

Für das kommende Semester haben wir als übergreifendes Thema den europäischen Gedanken eingeplant, fuhr Hilda Kandel fort. Was fällt denn Ihnen zu Europa ein? Na? Ganz spontan!

Verärgert fürchtete Felix, er müsse, weil er antworten sollte, seinen zweiten Klumpen Ei mit Brot links in der Backentasche vergeuden, an Europa, an den europäischen Gedanken!

Nichts Besonderes, mir fällt nicht gerade viel ein, ha ha, sagte er, aber er begriff sofort, daß er sich mit Widerstand um den bereits erworbenen gesundheitlichen Gewinn brachte.

Das hört sich reichlich leichtfertig an, mein Guter, gefällt mir gar nicht sehr! Hilda drohte Felix scherzhaft mit der Gabel, die mit einem industriell geformten Käsequadrat aufgetakelt war.

Es regnete wieder und im Zimmer mit seiner langweiligen, durch nichts aufregenden Möblierung aus skandinavischen Hölzern wurde es jetzt behaglich. Felix wollte sich nichts verderben. Deshalb untersagte er es sich, Hilda mit den unausstehlichen Wichtigtuern von Zöllnern zu ängstigen, und die fielen ihm zum europäischen Gedanken als erste ein, und die Warteschranken an den Grenzübergängen und der heuchlerische Infantilismus der Wahlredner, hörte er sich sagen, sofern er noch der Felix von vorhin geblieben wäre, er selber, aber mittlerweile hatte er sich in ein Medium verwandelt.

Große Sache, Europa, murmelte er und versuchte einen schmachtenden Ausdruck. Er kaute und war zufrieden. Einwilligung! Er schluckte erfolgreich und dachte, das Verlieben in Frauen, beziehungsweise das Anstreben eines solchen Ziels, könne nicht von so hohem körperlichem Nutzen sein wie die Unterbringung bei einem Menschen, der in der Landessprache das Extrem des Unverstehbaren äußerte. Hildas Humbug umsorgte seine Versehrbarkeit, stülpte über seine Not eine Sauerstoffmaske aus unsinnigen Wörtergebilden: gerettet! Gertie mochte aufgedonnert und bemalt und in einer dieser Blusen, die sie bis fast zum Nabel hinunter überhaupt nicht zuknöpfte, durch die Regenschauer zu ihm unterwegs sein – er aber vertraute jetzt auf Frauen wie Hilda Kandel und skurrile Einfälle wie diesen: er würde sich mit ganz geänderter Themenauswahl auf seine zukünftigen Reisen begeben. Auch dem Schwesterchen Anja fiele wahrscheinlich ein Stein vom besorgten Herzen, wenn der Bruder die Gedächtnisschinderei ablegte, die ihm seine einstmals intensiv gepflegte Liebe zum großen russischen Schriftsteller Anton Pavlovič Čechov bereitete. Er sagte:

Ich würde gern heute abend etwas machen, das nicht im Programm steht. Ich würde gern über Sack- oder Kopfbahnhöfe sprechen. Angefangen mit Hamburg, dann Frankfurt am Main, Kassel, Mannheim, Stuttgart ... Hier brach er ab, weil Hilda Kandel ein Sahnenäpfchen umstieß und er ihr mit Papierservietten beim Auftunken helfen mußte.

Das ist passiert, weil Sie mir einen Schock versetzt haben, sagte Hilda.

Erstaunlich finde ich immer, wie lang man bei einem solchen Malheur einfach nichts tut als hinstarren, einfach draufstarren, und die Milch oder der Kaffee oder was auch immer, es läuft aus, läuft und läuft vor sich hin, aber man sieht immer noch zu ...

Gefällt mir entschieden besser, sprechen Sie über diese Dinge, über die menschlichen Dinge, rief Hilda. Sie tupfte nach Art der OP-Schwestern über die Details auf der Tischdecke. Lassen Sie die Bahnhöfe aus dem Spiel. Oder, wenn schon Bahnhöfe, dann erzählen Sie uns von den Menschen, die dort aus- und eingehen. Von den menschlichen Schicksalen. Vom Seelenleben auf Bahnhöfen.

Sack- oder Kopfbahnhöfe können ein interessantes Thema sein, ein weites Feld, sagte Felix, hatte aber keine Ahnung, wie diese These auch nur um einen weiteren Satz aufrechtzuerhalten wäre. Nicht durch ihn, ihm fiel schon jetzt nichts mehr ein. Querbahnsteige, fügte er hinzu, wollte wieder essen und trinken, war die Reinigungshektik an diesem Tisch leid: so läppische Ware, wie diese Wurstscheiben und dieser Käse sie darstellten, profitierte ja von ein paar Rahmspritzern.

Ersatzweise könnte ich über den Humboldtstrom sprechen, beziehungsweise über den sich wandelnden Einfluß des Humboldtstroms ... wußten Sie, wie viel vom Humboldtstrom für das Klima, sagen wir, Perus abhängt?

Sprechen Sie dann meinetwegen zu uns von den Menschen Perus, meinetwegen, oder sprechen Sie von Humboldt selber, Felix. Felix, Sie, einer wie Sie, er sollte ganz beim Menschlichen bleiben. Wissen Sie, wenn wir Sie oben auf einem Podium haben, unter einer Leselampe, dann stellt sich wunderbarerweise Intimität her, Ihre

Abende offenbaren Sie, Felix, als einen Nächsten, ja: Allernächsten . . .

Alles Lüge, alles Täuschung, Nichtigkeit, knurrte Felix. Er fühlte sich gefestigt, nun sogar obwohl er widersprach. Es war das gemeinsame Fahrwasser, auf dem diese Frau und er trieben. Weil er auf sie einging, fühlte er sich nicht mehr von ihr aufs Korn genommen. Ob er bald weinte, einfach ihrzuliebe? Ließe Weinen sich simulieren, dann hätte er geweint. Daraufhin viel Wurst gegessen. Schreckliche Wurst, wie Felix fand, kaltes blasses Zeug. Die eine Sorte erinnerte ihn an die rötlichgrau gemaserte Marmorplatte auf der Wäschekommode in Anjas Schlafzimmer. Und damit wußte er endlich, wieso er immer an Metzgereien denken mußte, wenn er auf dieser Marmorplatte Wäsche-stücke, um die Anja sich kümmern sollte, deponierte. Sollte er Hilda Kandel anbieten, über solche Zirkelschlüs-se zu dozieren? Es kam längst nicht mehr drauf an, mit welchem Wahnsinn er aufwartete. Ich werde über den Circulus vitiosus sprechen, zugleich über Proust, Sie wissen, La Recherche du temps perdu, man kann alles mögliche miteinander verbinden, alles das sind Beiträge zum Verschwindenlassen und zwar wessen? Der Nichtig-keit der Welt . . .

Die Welt ist nichtig, gemein und niederträchtig und ekelhaft, nichtig . . .

Da haben wir ihn wieder, den altbewährten Felix Anima-teur, rief Hilda Kandel. Wir dürfen trotz allem nicht vergessen, auf die Uhr zu sehen. Sie kicherte, was nicht zu ihrem Typ paßte. Wenn es nach mir ginge, Felix Animateur, dann blieben wir zwei beide schön hier für uns allein . . .

Es kommt allerdings normalerweise nie vor, daß ich gut bin ohne Honorar, sagte Felix.

Nehmen Sie ein wenig Nußkuchen, schlug Hilda Kandel vor.

Das gesperrte Kucheninnere harmonierte mit Hildas Geschmack in Bekleidungsfragen. Trotzdem hielt Felix es für barbarisch, inmitten der Aufschnittszenerie diese Kuchenscheiben zu plazieren. Auf jeder allerersten Stellprobe hatte jeder allerletzte Regieassistent nicht so schlechte Ideen.

Anderthalb Stunden gegen Honorar und das ist meine Höchstgrenze, verkündete er. Ich bin dann wie ein Hochspannungsmast! Jede Frage an mich, die jenseits der Honorargrenze gestellt wird, fasse ich als Inhumanität auf, als persönliche Beleidigung.

Schmerzlich verbohrt und besserwisserisch, bestens gelaunt haftete Hilda Kandels Blick auf ihm, müden Auges, aber gesund betrachtete sie seine Katastrophe. Nicht ausscheren, nicht wieder aus der Reihe tanzen, kommandierte in seinem Bewußtsein die Stimme der Unvernunft, die eigenartigerweise zur Stimme der Vernunft umgemodelt war.

Ersatzweise biete ich als Themen an: die heruntergewirtschaftete Moral der Zeitgenossen.

Gute Sache, lobte Hilda Kandel. Es müßte unbedingt wieder mehr gelesen werden, viel viel mehr. Ach, Lesen! Lesen lesen lesen! Ich selber kann und kann nicht genug davon bekommen. Lesen! Kosten Sie diesen Kuchen.

Vielleicht müßte man einen Schluck Kaffee dazwischenschalten . . . ich denke dabei nur an eine gewisse Ordnung in der Speiseröhre, an etwas Systematisches . . . ich möchte nicht unverschämt sein . . . Felix genoß aber im Voraus die Empfindung, zur Aufnahme von Flüssigkeit mit Coffein imstande zu sein, unter Hilda Kandels Blicken. Eigentlich ist unser Leben trostlos, dachte er unbeabsichtigt.

☆

Hilda Kandel hielt sich viel auf ihr Geschick im Umgang mit schwierigen, dem Wesen nach musisch geprägten Menschen zugute, und sie vermutete außerdem, es gäbe im Verlauf einer jeden menschlichen Lebensbahn schicksalhafte Drehpunkte und es komme nur darauf an, wachsam zu sein, mit allen Sinnen offen für derartige Fingerzeige zu bleiben. Felix Spring, auf Heidinghausen-Art: ja wie es ihm mittlerweile wieder schmeckte, dem feinnervigen Mann, dem sie kurz über die rechte Schulter äugend dabei zuschaute, auf welch kindlich-eifrige Weise er einen Trunk aus kalt anzurührender Schokolade auslöffelte. Für einen Reizwert, für einen Sorgenbrecher erster Güte hielt sie ihr Lächeln, das sich aus einem zuvor streng beschäftigten, in die Länge gezogenen Gesicht unvermutet herausbilden konnte: vorm Spiegel geprobt. Mit diesem Lächeln träte sie nachher vor Felix, wenn sie mit ihrer Schreibarbeit fertig wäre. Sie setzte neu an und fuhr im Brief an Felix' Schwester, die ihr bis dahin noch unbekannte Anja Spring fort:

».. . und auch das Essen und das Trinken schmeckt ihm wieder, hier bei uns im Niederbergischen, er mag die Agger, das Aggertal und die Kornfelder, er wandert täglich eine Dreiviertelstunde lang hügelauf, hügelab, er traut sich vor bis in die Nähe des Elektrizitätswerks, und daß er hier bei mir bleiben würde, ist mir klar geworden in dem Augenblick, als endlich unser langer langer kalter Regen aufhörte und die Sonne herauskam, eine Frühlingssonne endlich, liebe Anja, die Sie ebenfalls auf den Namen Frühling, Spring, hören, und von Herzen möchte ich Sie einladen, uns hier zu besuchen, anbieten kann ich Ihnen, wenn Sie mögen, einen originellen Gasthof, dessen Inhaber seine Privatgemächer jederzeit freizumachen bereit ist. Wirklich, Spring-ins-Feld nenne ich ihn manchmal schon in meinem Innern, Ihren Bruder, der uns von der Kulturgemeinde Heidinghausen tournusmäßig schöne Abende mit viel Nähe zum Menschen bietet . . .«

Klack klack, machte der Löffel im leergesüffelten Porzellanbecher, und obwohl die Sonne sehr grell ins übertrieben helle Zimmer mit seiner skandinavischen Holzausstattung eindrang, empfand Felix wenig Nervosität. In wenigen Minuten würde er ein P. S. an den Brief, den Hilda seiner geliebten Anja schrieb, setzen und er plante schon ein bißchen. Wie wäre es mit: »Und ihr habt nun auch Traurigkeit, aber ich will euch wiedersehen . . . und an dem Tage werdet ihr mich nichts fragen . . .«, ja, wie wäre es damit? Oder hätte das Anjachen etwas Konkreteres doch lieber? Warum bin ich hier, besser: warum bin ich hiergeblieben? Ich kam, um erstens Gertie in einem Hotelzimmer heimlich zu treffen und um mich zweitens in sie eventuell zu verlieben; drittens mußte ich mich endlich satt essen, und es galt, meinen Flüssigkeitsbedarf zu decken, auch das Rauchen, unangeblickt, nicht paralysiert, in aller Stille, meine liebste Schwester, und noch ein paar Lebensnotwendigkeiten mehr galt es zu erfüllen, fern der Heimat . . .

Felix studierte nicht zum ersten Mal erklärende Worte, an Anja gerichtete Worte, ein und versuchte dabei, seinen Werdegang der beiden letzten Wochen auswendig zu lernen. Was war denn noch gewesen? Ah ja, seine berufliche Veranlassung, nach Heidinghausen zu reisen, die durfte nicht fehlen. Vorläufig, und Hilda Kandel hatte das übernommen, waren alle darauffolgenden Frühjahrstermine abgesagt worden. Die Beschaffenheit des Wirkungskreises, in dem Felix Spring sich hin und her bewegte, brachte es mit sich, daß man ärztlicher Atteste nicht bedurfte. Felix hatte vorgeschlagen, *Billumie* als Krankheitsbild durch diese Korrespondenz in Umlauf zu bringen. Er erklärte Hilda Kandel, was sie sich unter Billumie

vorzustellen hätte, und sie verwarf den Gedanken sofort.

Gefräßig sind Sie nicht, außer nach dem Leben selber!

Vorausgesetzt, sie verzapfte großen Blödsinn diesen Stils,
dann konnte Felix wunderbar essen, trinken, rauchen, und
seine Arme bewegten sich auf jedes ausgegebene Kommando hin. Gegen Abend suchte er die Gesellschaft
Hilda-Kandel-ähnlicher Personen, vorzugsweise diejenigen von Frauen aus dem, was sie als ihr *berufliches Umfeld*
kennzeichnete, und manchmal sprach sie auch von ihrem
Kulturkreis. Ein Wendekreis, sagte sie neuerdings. Seit Sie
hier bei mir sind, mein lieber Felix Frühlingsbote.

Ja, und er ließ sich gern in den mit Stühlen vollgestopften
Lesesaal der Stadtbücherei mitnehmen, setzte sich an
seinen Tisch, Vorträge brauchte er noch nicht zu halten, es
ging jetzt immer von Anfang an um Kommunikation.

Ich mag so sehr sehr gern von jeher Pantomime! Das war
eine von Hilda Kandels Einführungsfloskeln. Felix merkte
kaum noch, wie peinigend erste Minuten am Tisch eines
Vortragsreisenden waren, denn es gab gleich Menschen im
Lesesaal, die sich mit einer Frage an ihn wandten. Es ging
um Erziehung, um Partnerschaft in der Ehe, um das
Unglück der Frauen allgemein. Worum war es denn
vorher gegangen? Ach ja, Čechov, wer war noch Čechov?
Anton P., Anton Pavlovič. Der, dessen Geschichten
offen, aber doch trübe endeten. Felix spürte einen Druck
auf dem Herzen. Ihm wurde unbehaglich und ängstlich
zumute. Wenn er an Čechov und an seine eigenen früheren
Themen im Zusammenhang mit Čechov dachte, ver-
krampfte sich sein Eingeweide, Felix befürchtete einen
Zusammenbruch in der Gegend, worin die Speiseröhre
dominierte, und er war darauf angewiesen, daß Hilda
Kandel damit begönne, unsinniges kulturelles Zeug zu
faseln, und er gab ihr schnell ein Stichwort, jetzt zum

Beispiel sagte er, schon reichlich atemlos: Die europäische Idee, wäre sie nicht auf Lateinamerika übertragbar?

Hilda Kandel schwatzte darauf los, wie gut, wie herrlich, daß sie in der selben Minute auch noch mit einem großen furchterregenden Blumenstrauß aufwarten konnte; bald würde sie ihm erklären, wie diese Blumen alle hießen, vier Sorten in einem Strauß, und gewiß wäre eine von diesen Grünpflanzen, die den Strauß aufpolsterten, irgendwie heilkräftig, es ließe sich ein Sud daraus gewinnen, es gäbe ein Abendteechen, zwei oder drei Diplombibliothekarinnen oder Büchereiassistentinnen oder sonstwelche Frauen mit kulturellem Interesse, und in die man sich nicht zu verlieben brauchte, die kämen zu Besuch, und Felix tränke vom Heilkrautteechen, kein Schluck problematisch, was sagt man dazu, Anton Pavlovič, zu so gut endenden Geschichten wie der meinen, fragte Felix und griff sich den Werbeprospekt mit dem Titel: »Heidinghausen und seine niederbergischen Schätze«. Gleichmäßig ging sein Atem. Die Sonne schien.

DER MANN MIT
DEM KINDERWAGEN

Seit Lebrecht den Kinderwagen vor sich herschob, kam er auch besser am Mann mit dem Schild ICH HABE HUNGER – DANKE vorbei. Durch die Unterführung mußte er ja schließlich einmal täglich gehen. Die kürzeste Verbindung zwischen der Kettererstraße und dem Bürgerpark nicht zu nutzen, hieße fast auch, zwischen ihm, Lebrecht, und Diana Elsberg direktere Wege zu vermeiden. Lebrecht brach diesen Gedankengang ab. Der Vergleich paßte, und paßte nicht, das war nicht leicht zu entscheiden, aber gewiß verwirrte er ihn jetzt nur. Lebrecht stöhnte halblaut, vom Straßenverkehr gedeckt. Der Lärm glich einem Gezänk und Streit, regellos geäußertem Unmut, doch Lebrecht bot er immer etwas Schutz. Hier könnte man Selbstgespräche führen, viel besser als in einer Wohnung, in der man allein umherginge, dachte Lebrecht. Die Passanten bedachten ihn, seit der Kinderwagen ihn ausstattete, mit ihren individuellen Augen, und ihre privaten Lebensverhältnisse, ihre Zimmer und Möbel und Familienbedingungen blinkten auf, in kurzen ausdenkbaren Geschichten; Lebrecht fand, er selber bekomme mehr zu sehen, seit er dieser Wagenlenker war. Und ein Selbstgespräch, dachte er jetzt, würde auf keinen fremden Menschen einen komischen Eindruck machen, er wäre kein Kauz und Sonderling, sondern jemand, der mit einem kleinen Kind redete.

Der Bettler und Lebrecht, sie grüßten einander mittlerweile, vorausgesetzt, der Bettler war bei Laune. Lebrecht wunderte sich nur gelegentlich noch darüber, daß er tatsächlich, seit dem Wagen, kein schlechtes Gewissen mehr hatte, wenn er dem Bettler nichts gab, und er gab nichts. Und es murrte auch nicht mehr HAB SELBER HUNGER – BITTE in seinem Innern.

Wer lebte denn nicht in irgendeiner Hinsicht so als ob . . . Als ob das eigene Leben eben doch, allem Augenschein zum Trotz, etwas Hochbrisantes und Begabtes wäre, das Aufsehen erregen könnte, sofort, und sofern ... hinter der nächsten Wegbiegung, bei einem Zusammenprall womit? Ein Zufall, daß sich gegenwärtig noch nichts ergab. Jeder hier, der Lebrechts Weg kreuzte, hatte sich einen Reim drauf gemacht, warum er zwischen Morgen und Abend hin und her wuselte, warum das so war, vorläufig nun einmal, und sie gäben ihm, würde er sie mit einer Befragung überrumpeln, ihre kärglichen und zusammengestutzten, aber doch schöpferischen Lebensausreden zum Besten, ihre Anworten wären trotzig. Oh doch, was wollen Sie, ließ Lebrecht die Frau um die 50, hinter der er in die Schumannstraße einbog, ihm in seiner Phantasie zurufen, doch doch, meine Pläne für die nächsten zwei Jahre sind geschickt geschmiedet, dreimal Ausland, mein Bekanntenkreis kann sich sehen lassen, mein Arzt ist soweit zufrieden.

Bei der roten Ampel vor der Einmündung zum Park versorgte Lebrecht das Kind im Wagen, beziehungsweise er achtete darauf, daß das Plumeau hoch genug gezogen war. Ihm war aufgefallen, wie wenig Spielraum für einen Kinderkopf von Müttern in den vollgestopften Kinderwagen gelassen wurde. Früher, absichtslos, hatte er das beobachtet, und flüchtig, ohne Gedanken an eine eigene Zukunft als Kinderwagenbetreuer, überlegt, wieso die Insassen auch in warmen Jahreszeiten so gründlich verpackt werden mußten. Wie behäbig sich nun das Plumeau wölbte! Wie glücklich, darunter zu lagern. Es konnte sich nur um den äußersten Gegensatz zur Nervosität handeln, bei den Empfindungen eines derart Geborgenen. Fühlte doch so ein Wesen bloß diesen Genuß der Schaukelbewegungen, den Reiz, vor dem Fahrtwind geschützt zu sein, den hohen Wert der Verantwortungslosigkeit unter warmen Daunen: die besten Gefühle unseres Lebens verpassen wir, dachte Lebrecht, und vielleicht war alles spätere Begehren der vergebliche Versuch, dieses versäumten, fast nicht zu erinnernden Friedens doch noch habhaft zu werden. Das eigene Land zurückzugewinnen: man war einst dort, und hat es doch nicht gesehen. So ist es, nicht wahr, Schätzchen, sagte Lebrecht mit der durch seine Gesellschaft, den bestückten Kinderwagen, legitimierten Erzählerstimme, und wieder spürte er, wie gut Selbstgespräche ihm taten. Als er noch allein herumgelaufen war, hatte er sie sich verboten. Nicht wahr, mein Dickes, mein Schätzchen, mein Bröckchen, so ist es, so wie bei dir da drin, so fühlt man sich, wenn man überhaupt keine Ahnung hat, was das ist, Lampenfieber. Panik. Keinen Schimmer davon, hm? Lampenfieberpanik. Vollkommen unbekannt.

Bald, vorausgesetzt, sie hielte sich an ihr Tagessystem, träfe Lebrecht am Nymphentempelchen Diana Elsberg. Manchmal erschien sie nicht. Dann hatte sie der Chef für Sonderleistungen gebraucht. Sie war, in ihren eigenen Worten, seine rechte und seine linke Hand, und ab und zu brauchte er alle beiden Hände und sie verschränkten sich. Diana mußte Geschäftsfreunde oder spezielle Kunden betreuen, sie hofieren, vermutete Lebrecht. Sie mußte im Hotel bei einem Glas Wein Blankoschecks ausfüllen und, in Konversation verpackt, geschmeidig nach Reisekosten fragen – Lebrecht stellte sich das so vor – und Taxis ordern und von der letzten Inszenierung der Städtischen Bühnen erzählen. Sie sagte *Geschäft* zur Bank für Industrie und Handel, und dieser Ausdruck verkleinerte ihren Berufsplatz, fand Lebrecht, *Bank* klang in seinen Ohren viel imponierender. Er selber war ein Kunde der Sparkasse. Das hatte er Diana Elsberg noch gar nicht gestanden.

Ah, da drüben kam sie ja jetzt! Ohgottohgott, jammerte Lebrecht schnell zum Kinderwagen hinunter, erhitzt und mit jagendem Puls. Was hat sie denn da für verwegene Stulpenstiefelchen an den Beinchen! Ach, es handelte sich nicht um Beinchen, wußte Lebrecht. Das waren Frauenbeine, große Geräte, und warum mußte Lebrecht jetzt an eine Schere denken? Und die Hosensäume hatte sie in die Stiefelschäfte gestopft: du lieber Himmel! Ihr Mut beeindruckte Lebrecht. Ihm fiel meistens, wenn sie und er auf dem Wiesenpfad einander entgegengingen, ihre Auskunft über sich selber ein, und er hörte ihre nördliche hohe Stimme energisch erklären: Wenn ich nicht zweimal täglich mein Duschbad habe, bin ich nur ein halber Mensch. Wann jemals würde er es über sich bringen zu antworten: Bitte, lassen Sie mich so einen Tag erwischen, einen ganz ohne Duschbad!

Halber Mensch, halber Mensch, du Puppe, Püppchen, brummelte Lebrecht, aber das hier, diese Wegkurve, war die Sprachgrenze, von nun an würde Diana ihn hören können, und zwar nicht als einen Aufsässigen. Diana, mit ihrem Sinn fürs Schöne – sie brauchte den Ausgleich, so sehr sie sich mit ihrer Arbeit im Einklang befand, was sie ICH IDENTIFIZIERE MICH DAMIT nannte – Diana war vom Anfang ihrer Bekanntschaft an stolz darauf, mit Lebrecht nun endlich einen leibhaftigen Schauspieler zu kennen. Zum Schönen, dessen sie bedurfte, zählte erstrangig das Theater, und der Oper zog sie seit vielen Jahren die Sprechbühne vor. Lebrechts Arbeitslosigkeit schien vorübergehender Natur zu sein, denn da bahnte sich etwas an, über Diana Elsberg, über ihren Chef, den Public-Relations-Mann der Bank und dessen Draht zu einem Radiosender; zunächst müßte Lebrecht sich mit dieser unidealen Beschäftigung begnügen, doch man sähe weiter.

Lebrecht beteuerte stets, er profitiere von der Phase ohne Engagements, denn Lampenfieber sei eben doch eine äußerst zehrende Erscheinung, eine Art Krankheit.

Heute gilt kein WENN UND ABER, sagte Diana herzlich, sie zerrte ein bißchen an seiner Steppjacke. Ich zerre daran, ja, richtig, und das gilt für größere Vorhaben. Nämlich Folgendes: heute zerre ich Sie ins Rampenlicht. Sie kommen heute mit zu mir, mein Guter, ich habe den Teetisch schon gedeckt.

Und das hier? Lebrecht deutete auf den Kinderwagen. Zählt das hier nicht?

Er war fast zornig. Er wollte mit Diana Elsberg spazierengehen, vorerst. Dieses VORERST dauerte nun allerdings schon ein Vierteljahr. Ein Stündchen Nähe im Bürgerpark. Plötzlich hatte er die ungute Vision seiner Wohnstraße. Die Häuserreihe auf seiner Seite glich einem ungepflegten Gebiß.

Ich bin nicht allein, wie Sie wissen. Lebrecht ruckte mit dem Wagen. Das zählt doch auch, oder nicht?

Nein, es zählte nicht, denn erstens wohnte Diana Elsberg zwar im vierten Stockwerk, aber kindergerecht, sagte sie, und sie fügte hinzu: Die Jahreszeit bringt es mit sich, daß wir unsere Gewohnheiten ein wenig ändern müssen.

Bei mir zu Haus ist der Lift eine Katastrophe, behauptete Lebrecht.

Bei mir hingegen ist der Lift breit genug für eine richtige Kutsche, beruhigte ihn Diana, vielmehr, sie beruhigte ihn nicht. Du darfst dich nicht verdächtig erregen, ermahnte er sich.

Ja, und zweitens störte das Kind keinen. Auch der Einwand zog nicht.

Es ist offenbar ein äußerst friedliches Geschöpf, das Kleine, sagt Diana. Ihre Stimme nahm einen mütterlichen Ton an, und Lebrecht war sich nicht sicher, ob ihm das behagte.

Ich hab's nie auch nur quäken gehört, Ihr kleines Schätzchen. Allerdings auch nicht drauf geachtet. Ich bin nicht ganz so wie andere Frauen. In Bezug auf Kinder, ich nehme es jedenfalls an. Das kommt vom Beruf. Aber nie nie gibt es überhaupt nur einen Mucks von sich, ist es nicht so?

Oh ja, das traf den Sachverhalt präzise. Grimmig verurteilte Lebrecht diese Frau von Neununddreißig und ihre Uninteressiertheit, was den Wagen anging. Was den Wagen anging, ging ihn selber an. Und gleichzeitig bangte er doch um Geheimhaltung. Drückte sich vor mehr Nähe. Schubste den Wagen ein Stückchen weg, wenn es dazu kam, daß sie sich auf die Bank am Teich setzten. Diana hatte anfangs noch das traditionell gebräuchliche EI DA DA zur feisten Wölbung des Plumeaus hinunter gestammelt, doch das genügte ihr dann für immer. Viel lieber wandte sie sich in Gesprächen ihrer Liebe zu den Künsten und zum Schwimmsport zu und erzählte von einem bestimmten Fjord in Nordnorwegen. Im nächsten Sommer käme Schweden dran, unwiderruflich, da kannte sie kein Erbarmen.

Lebrecht überlegte, was LIFT auf Amerikanisch hieß. Es war doch nicht sehr geräumig im Lift, Diana hatte übertrieben. Trotzdem dankte Lebrecht ihr im Innern, vielmehr: er dankte ihrer Beredsamkeit und vergab ihr alles, er verzieh und verzieh, während sie jede Reiseetappe chronologisch erfaßte, die nötig gewesen war, damals, 1979 oder 1978, um das entlegene Wunderörtchen namens Skola zu erreichen.

Sie sagen irgendwie anders dazu, obwohl LIFT ein englisches Wort ist, überlegte Lebrecht.

In Dianas Etage – sie fand ihren Schlüsselbund nicht gleich, durchwühlte, aber blicklos, den Kopf leicht in den Nacken gelegt, ihre aufgedunsene weiche Tasche, wobei ihre Mimik der eines Menschen glich, der in einem Topf mit Lotterielosen nach dem Gewinn umhertastet – dort oben im vierten Stock stritt sich ein Pärchen, nicht mehr ganz jung. Die Frau zog den Mann am Arm zur Wohnung hin, er strebte weg und rief mit unterdrücktem Haß: Du sollst mich loslassen, hab ich dir gesagt!

Die Frau sagte:

Und selbst wenn ich nun wirklich eifersüchtig wäre, dann müßte man mich doch bemitleiden! Das wäre keine Gemeinheit von mir! Ich wäre höchstens ein armer Teufel. Sei wieder lieb!

Lebrecht hatte Lust, sich einzumischen, aber gerade in diesem Moment rief Diana:

Da! Na, wer sagt's denn!

Wie bitte, fragte Lebrecht verwirrt und etwas verärgert, denn er hatte es, ganz ungewohnt, in sich wie einen Aufruf vernommen, der Frau gegen den Mann beizustehen, und fast sogar war er, kurz genug leider, vom Denken an den Kinderwagen losgekommen.

Es ist jedesmal dasselbe, sagte Diana, die inzwischen aufschloß, ich finde den Schlüssel kurz bevor ich aufgebe. Jedesmal. Treten Sie ein. Das ist nun mein Reich.

Elender Kerl, knurrte Lebrecht, abschiednehmend von seiner unterlassenen guten Tat.

Ach, diese zwei da, ein Trauerspiel, und keins, das ein großer Dichter gestaltet hat, sagte Diana. Oh oh!

Sie gestaltete das genau gleiche OH als Begleitmusik zum Abstreifen ihrer Jacke, und nun galt es dem Ausdruck des Wohlbehagens. Es kehrte, verwandelt in ein AH, wieder: Diana, mit beiden harkenförmig gebogenen Händen, durchwuschelte ihre Haare. Anschließend schüttelte sie nach Hundeart den Kopf, bündig und doch erwartungsvoll.

Ich wäre der kleinen Frau gern zu Hilfe gekommen, sagte Lebrecht und parkierte den Kinderwagen im Schutz diverser Mäntel, die tief genug von den verzierten Garderobenknöpfen herunterhingen.

Ritterlicher Mensch, lobte Diana. Ein Freund der Frauen, Lebrecht, das sind Sie wohl. Stimmt das?

Weiß nicht, ich denke schon, antwortete Lebrecht. Er fühlte sich falsch eingeordnet, aber merkwürdig stolz.

Machen Sie es sich doch gemütlich, befahl Diana. So was, so was! Ein Kavalier. Und man sollte meinen, jemand wie Sie, jemand mit einem Kinderwagen und ohne Frau, die ihn schiebt – oh, pardon! Das war wohl ein wenig altmodisch von mir, und vielleicht auch nicht taktvoll, ich bitte Sie . . .

Schon gut, schon gut, wehrte Lebrecht ab.

Er vergaß zu oft, nach welcher Strategie er damals bei der zweiten oder dritten Parkbegegnung Diana Elsberg über sich und den Kinderwagen informiert hatte: war er nun eigentlich ein Sitzengelassener, lebte er in Scheidung, stand ihm das Kind zu, als Schuldlosem, oder als Witwer? Kein Grund zur Beunruhigung, denn sie fände es spannend, wie es auch immer um ihn stände, sie hielte einiges davon, und falls er sich in Verwechslungen verheddert, käme er ihr nur um so schillernder vor. Die Sache hatte den einen Haken: die richtige Frau war Diana Elsberg eben doch nicht für ihn. Für meine Nerven, sagte sich Lebrecht vor. Sie verstand nicht genug von Verträumtheiten. Das ging klar aus ihrer Glätte hervor, mit der sie, ohne jede Neugier, den Kinderwagen vergessen konnte. Aalglatt, fluchte er stumm. Aber ein Geräusch wie Krächzen war dabei doch entstanden, und Diana fragte:

Wie bitte? Ah, bin ich durchgefroren. Ich mag den Winter, obwohl . . . wirkliche Kraft besitzt er nicht mehr. Kommt es Ihnen nicht auch so vor? Hier herüber, hier ist die Toilette. Irgendwie haben die Jahreszeiten ausgespielt, ich denke manchmal so. Sie lachte. Gut möglich, daß das ein Alterszeichen ist. Diesmal jubelte sie beinah. Also, da drüben, da hätten wir die Toilette mit allem Drum und

Dran. Ich meine nur, falls was mit der Kleinen fällig sein sollte.

Richtig, er hatte ein kleines Mädchen: Lebrecht imponierte Dianas Gedächtnis. Als erste Kraft der Hohen Herren aus der Chefetage ihrer Bank doch unerwartet – denn sie schaute ja nie richtig in den Wagen – noch Platz im Kopf für die kleinen menschlichen Sachen freizulassen, das nahm ihn auf der Stelle für sie ein.

Mein Bad, das ist was, worauf ich wahrhaftig stolz bin, erzählte Diana.

Lebrecht kam auf keine Idee, wie er, ungestört, eine Windelangelegenheit inszenieren könnte. Diana fuhr fort: Bei meiner Liebe zum Wasser und allem, dem Duschen, wissen Sie, da mußte so ein Raum ein Schmuckkästchen werden. Schauen Sie sich um, sagen Sie selbst.

Aha, machte Lebrecht. Ganz fabelhaft.

Er fühlte sich klobig und beschmutzt, auch zu stark bekleidet, wie er da nun neben der Frau, die ihn und die funkelnden vergoldeten Installationen gleichermaßen anlächelte, auf zu engem und zu heißem Raum herumstand, andächtig, als gälte es, einem Seitenaltar zu huldigen. Er schämte sich seiner Straßenschuhe, wußte nicht, wohin er treten sollte: auf die blanken Kacheln oder besser auf so ein Polsterinselchen, dunkelbraune Wollfadenlätze? Zwei Zahnputzgläser sahen wie Cognacschwenker aus. Er kam sich wie eine Verunreinigung vor.

Und das ist die Toilette, für den Fall der Fälle.

Diana lachte herzlich. Lebrecht schaute, im voraus umdüstert, nichts Gutes ahnend, auf ein suppenterrinenförmiges Juwel. Die Einfassung erinnerte ihn an Marzipan. Er wiederholte jetzt:

Aha!

Welches Adjektiv brächte ein bißchen Feuer? Großartig? Ganz phantastisch.

Richtig exklusiv, lobte Lebrecht und lobte still sich selber für die Erleuchtung, die ihm das geeignete Prädikat beschieden hatte. Diana erwähnte:

Prospekte habe ich gewälzt, ich kann Ihnen sagen. Bis ich eines Tages dieses Modell ... oder so: es sprang mich einfach an.

Oha! rief Lebrecht.

Weil dieses OHA zu viel und doch zu wenig kommentierte, weil es überhaupt verfehlt war wie plötzlich das Ganze hier im Elsbergschen kleinen Badezimmer, wurde Lebrecht schwindlig. Er vermutete, der Anfall könne auch von dem Kosmetikduft, den die vielen Tiegel und Fläschchen abstrahlten, ausgelöst worden sein. Er bekam das Verlangen, nach dem Kinderwagen zu schauen. Rechts hinten unter dem Plumeau bewahrte er seine kleinen Kreislaufhelfer in einer Silberdose auf. Schwindlig wurde ihm häufig, wenn er Personen zu nah stand. Zuguterletzt mochte an dieser Malaise seine Schauspielerlaufbahn gescheitert sein. Obwohl er, diagnostisch gesprochen, nicht weitsichtig war, hatte er nun einmal dieses Problem.

In einem Glaszylinderkörper mit goldschimmerndem Sockel ähnelten, in Farbe und Frisur, die glanzlosen, flaumig zarten Borsten der Toilettenbürste Diana Elsbergs Haaren, wie sie wahrscheinlich unter ihren Achseln gediehen, ähnlich denen auf ihrer Schädeldecke, nur weicher, ein wenig morbide – und jetzt muß ich augenblicklich, ganz und gar unverzüglich hier weg, wußte Lebrecht.

Braves Kerlchen, sagte Diana, die Lebrecht sofort unter ihren Garderobenutensilien aufstöberte.

Meinte sie ihn? Oder das Mädchen. Ach, mein Püppchen.

Elende Puppen, dachte er gleich darauf.

Die Dinge liegen so, erklärte Lebrecht, ich möchte lieber ein anderes Mal mit Ihnen hier sehr gemütlich Tee trinken, wirklich. Heute ist nicht der Tag. Irgendwie.

Sie Ärmster, wie Sie meinen. Obwohl die Kleine sich wohlzufühlen scheint. Diana Elsberg verlor die Fassung nicht, aber es gab auch unter Geschäftskunden höchst eigenartige Kaliber, da war sie hart im Nehmen, knapp im Geben. Richtigen Ekel sah man ihr so leicht nicht an, jedoch zog gewissermaßen ihre Mimik Schutzkleidung an, sie griff wie in unsichtbaren Präventivhandschuhen und nur mit den Fingerspitzen nach Lebrechts Jacke. Ärgerlicher Aufenthalt, weil die Kapuze sich wieder einmal verbeult hatte. Diana drückte die Kopfmulde heraus und patschte dann Lebrecht noch zweimal gegen den Rücken. Schon gut, schscht! machte sie, denn er hatte gestammelt: Sie nehmen mir's ehrlich nicht krumm? Mir ist einfach nicht danach.

Nichts nehme ich krumm! Ich mag problematische Menschen. Künstler. Sie sind eben ein Künstler.

Weil sie wieder weniger notkommandohaft auf ihn wirkte, unmedizinischer, und er sie gewiß sich erhalten wollte – oh doch: und wie, was wäre denn sonst? – schwang er sich dazu auf, vielversprechend auszusehen, großspurig sagte er: Und mir wird sehr danach zumute sein, sehr!

Aber ohne das Kind, ist es das? fragte sie.

Ohne das Kind, wiederholte er, mit einem feierlichen Ausdruck.

Auf der Hapag-Lloyd-Promenade erkannte Lebrecht das zerstrittene Pärchen wieder, Dianas Wohnungsnachbarn. Sie gingen einige Meter vor ihm, aber er holte sie ein, und wieder stand die Ampel auf rot. Er hielt sich knapp hinter dem Pärchen.

Das ist der Mann mit dem Kinderwagen, sagte die Frau, die sich kurz umgedreht hatte.

Noch immer versuchte sie, den Mann in den gemeinsamen Alltag des Redens zurückzuholen. Der Mann zeigte mit seinem Gesicht den festen Entschluß an, für immer und ewig zu schweigen. Als das Licht auf Grün sprang, und Lebrecht den Wagen an der Frau vorbeisteuerte, traf ihn ihr trauriger, wünschender Blick, weicher Neid.

Den Rest der Wegstrecke heimwärts vertat Lebrecht, wie so häufig, mit Nachrechnen. Der Spielraum war aber nicht mehr sehr groß. Noch ungefähr drei Monate, und das Kind mußte sich vernehmbar machen. Noch zirka fünf Monate, und es erreichte das Krabbel-bis-gehfähige-Alter. Länger nicht. Immer gemessen am Zeitpunkt seiner ersten Begegnung mit Diana Elsberg. Die Mitbewohner von Nr. 125 der Kettererstraße, und sonstige Zeugen in der Nachbarschaft kümmerten ihn kaum. Es wäre schade um dieses Lebensgefühl. Alles Unpersönliche begänne von Neuem. In der Unterführung saß der Bettler nicht an seinem Platz, nur das Schild lag auf dem alten Lodenmantel, und das Tellerchen stand bereit. »ICH HABE HUNGER – DANKE«. Der Mann holte sich um diese Zeit meistens seine Getränke am Bahnhofskiosk, und deshalb sah nur Gott selber zu, wie Lebrecht zögerte. Ausgerechnet jetzt fühlte er sich dazu aufgelegt, dem Bettler eine Kleinigkeit zu spendieren. Na, aber was denn, wieviel? Straßenszenen. Das Pärchen, unter der Dunstglocke seiner Zerstrittenheit, befand sich plötzlich wieder auf gleicher Höhe mit Lebrecht. Er fand es darum diskreter, der Frau in ihrer Sehnsucht nach Sanftmut nicht noch mehr Zündstoff zu liefern, dem Mann in seiner Verstricktheit nicht noch mehr Vorbild zu sein, also schob er den Wagen weiter, ohne Geldopfer.

Was für ein Unglück, sagte er laut und gut vom Betrieb der Rush-hour abgesondert. Erst von der Karl Knebel-Anlage an ereignete sich beim Schieben des Wagens endlich wieder die geheimnisvolle Metamorphose, und nun war er nicht länger der erwachsene aufgebrachte Mann am Lenker, mit Lampenfieber sogar noch bei Kinderwagengriffen, sondern er wurde das Baby aus seiner eigenen Vorgeschichte, er ruhte im Wagen verantwortungslos aus, holte die damals unverwendete gemütliche Beschützung nach. Jemand Geduldiges und Liebendes schob ihn durch sein Winterende in seinen Vorfrühling . . . oder was haben wir für eine Zeit, fragte er laut.

Passen Sie doch auf, das Kind!

Eine ältere Frau im braunen Pelzmantel drängte Lebrecht auf die Bordsteinkante zurück. Hätte schief gehen können! Tausend Dank, sagte Lebrecht und japste nach Atemluft.

Schon gut, sagte die Frau mit einem stolzen und rechthaberischen Ausdruck. Aber wenn man ein Kind hat – ich meine nur, man muß sich zusammennehmen.

Sie ruderte straßenabwärts, in drei prallen Plastiktaschen hatte sie zu ihrer Befriedigung auch heute wieder das dringendste an Überflüssigem zusammengegrapscht und jetzt war sie neugierig drauf, ihn zu Haus zu begutachten, den abgeschöpften Rahm. Lebrecht bugsierte den Wagen diesmal ohne jede weitere Zeremonie in den kleinen Verschlag neben der Küche. Er war heute später dran als sonst, und deshalb kam er erst nach voller Ausnutzung aller vier Fernsehprogramme um 23 Uhr 55 dazu, das Kind in die gewohnte Positur zu bringen.

So so, ein Mädchen also, sagte er, nun gut, eine kleine Heidi, oder? Haben wir da eine kleine Heidi, hm? Oder einfach Mädi? Ein Mädi? Gewiß ist's keine Diana, das gewiß nicht.

Viele Menschen würde man für verrückt halten, bei Aufdeckung ihrer kleinen Rituale, dachte Lebrecht sowieso häufig, immer einmal zwischendurch im Tagesverlauf, wenn er auf sich selber plötzlich achtgab. Wenn er sich bei irgendetwas auffiel. Er dachte: Der eine macht dies, die oder der andere macht jenes. Ein paar Diana Elsbergs allerdings scheinen bei Verstand zu sein.

Die Kindsattrappe saß so behaglich und ruhevoll im Sessel dem Schriftbild SENDESCHLUSS gegenüber, daß Lebrecht, dem der Anblick, und was er an Vertrauen zur Welt in ihm bewirkte, wieder einmal zu Herzen ging, doch noch gar nicht sicher wußte, wen von beiden er denn aufgäbe, in ungefähr drei Monaten, also immerhin im Hochsommer ... Prekäre Hochsaison für ungewappnete Lampenfieberpatienten, Lebenslampenfieber ... oh Gott, lieber Gott, in einem Juni oder Juli, bei offenbarender Beleuchtung, wen er dann aufgäbe: welche Attrappe denn nun, die eine oder die andere?

STRASSENSZENEN

Nun schneite es aber doch noch! Das Kind empfand, wie
der Himmel selber seine Partei ergriff, und es war bereit,
die Kränkung von gestern abend zu vergessen. Nein, um
Vergessen handelte es sich nicht, eher um eine Tilgung wie
von oben, in Weiß; und stillstumm wie der Schnee, an den
dieser gestrige Abendkummer nun delegiert war, wollte es
selber nachher den Erwachsenen gegenübertreten.

Die Erwachsenen, das waren Noras Vater, der neuerdings
nicht mehr gern PAPI hieß, wegen Annalise vermutlich,
seiner derzeitigen Freundin, und vor ihr sollte Nora auf
gar keinen Fall PAPI sagen, sondern JEFF. Noras Mami
sagte CHEF, aber sie war sehr lang überhaupt nicht mehr
dagewesen.

Nora fand, eine Verwandlung gehe beim JEFF-Sagen mit
dem Vater vor. Er selber schien dadurch unsicherer zu
werden. Annalise malte monochrom weiße Bilder. Es war
kein richtiges Malen. Hauptsächlich klebte sie edle Papier-
sorten durcheinander.

Mein kleines Schneehäschen, wenn du so vernarrt bist in
Schnee, dann mußt du einfach diese Arbeiten liebhaben!
Die große Frau mit den runterhängenden Künstlerhaaren
– manchmal flocht sie sich Zöpfe – kauerte vor Nora am
Atelierboden, zwischen den vielen einfarbigen Bildplat-
ten. Noras Vater genoß solche Augenblicke, aber doch
nur, weil er sich darauf verließ, daß seine kleine Tochter
höflich und ein bißchen gefallsüchtig war.

Gestern abend war Nora in die Atelierharmonie eingebro-
chen. Es hatte sie nämlich schrecklich gestört, daß der
Vater sie beim Abküssen dieser Annalise völlig vergaß.
Das unterlief ihm sonst nie. Er hatte es einmal gemacht,

war aber betrunken und somit war es nicht kränkend gewesen.

Er hat zu mir gesagt, er hofft, daß du ihm kein Bild für unsere Wohnung aufdrängst, hatte Nora ganz laut in eine dieser Geheimnistuereien zwischen Vater und Malerin hineingesprochen:

Wer hat das gesagt?

Annalise sah zwar noch salbig geküßt aus, doch schon auch mißtrauisch, und ihre grauen großen Augen blickten ganz und gar aufmerksam.

Jeff, der Boss, Papi hat's gesagt.

Ach, Nora dachte ja jetzt wirklich nicht mehr gern dran. Versöhnung, Schnee! »Wir könnten ebensogut unsere Abende allein verbringen, ohne dich, Annalise und ich«: diese väterlichen Worte wollte Nora unbedingt vergessen. »Wer Schnee so liebt, der muß auch Annalises weiße Flächen hier lieben und ihre Freude am Papier.« Oh nein, Nora fand nicht, daß der Vater recht hatte, und er selbst tat ja nur so sachkundig und ernsthaft, nur weil er nach Annalise verrückt war.

Das Kind sah in die Flockenwirbel hinaus. Sogar Schwandorf-West wurde allmählich schön. Der kleine Vorgarten wurde schön. Der Frau, die aus ihrem Küchenfenster im Nachbarhaus schaute und zuerst den Kopf schüttelte und dann Staub aus einem braunen Lappen, wollte Nora schnell etwas zurufen; aber was, und außerdem verhinderte ja dieses Kippfenster alles. Seit sie in dieser Wohnung lebten, hatte der Vater dem Kind noch nicht die Hebel an den Fenstern richtig erklärt. Er hatte es ein Mal versucht, aber das Kind war nicht damit zurechtgekommen, und für das klemmende Wohnzimmerfenster mußte damals sogar ein Handwerker gerufen werden.

Es schneit jetzt doch, sagte das Kind zum Vater, und es bezweckte, eine gleichmütige Wirkung zu verbreiten. Um eine Stimmung der Gewogenheit ging es aber auch, also setzte es JEFF hinzu, sprach aber das J undeutlich und ein bißchen zum SCH hin aus.

Das trifft sich ausgezeichnet, antwortete gut aufgelegt der Vater. Annalise ist mit dem GROSSEN WINTER fertiggeworden. Und wir übernehmen ihn als Leihgabe, Schätzchen. Fein, was?

Der Vater frisierte seine Haare anders als früher und er zog sich jetzt immer sofort um, wenn er von der Bank kam, wurde ein anderer, wie er und Annalise das nannten, in einer Art gemeinsamem Sprechgesang, und nach dem feierlichen Duo lachten sie. Nora schaute dann weg, aus Besorgnis, sie würden sich umarmen, aber Weghören ging eben nicht. Vieles von den beiden, vieles gemeinsam Begonnene, versickerte, wenn sie aufs Kind blickten, wirkte abgebremst, und das Kind kam sich wie ein plötzlich wiederentdeckter, nicht besonders guter Einfall der Zwei da vor.

Am Nachmittag erschien Annalise mit GROSSEM WINTER und in der Pelzjacke. Drunter trug sie den hüftlangen Arbeitskittel. Nora fragte sich oft, woher die Farbspuren auf dem Stoff stammten. Annalise schichtete ja nur Papier und erlaubte höchstens als kaum wahrnehmbare Schatten Rosa oder Gelblich oder Gräulich.

Hängen wir's dorthin, Jeff! Das wird sogar unserm Norachen recht sein, Schnee gegen Schnee, was, mein Lämmchen?

Annalise peilte den besten Platz im Zimmer an, die Wand über der Couch, und da hing bereits eine Photographie aus Mamis Zeiten, ein Hopfengarten im Schnee.

Weg damit, sagte der Vater.

Verlegen ist er, dachte das Kind.

Du stehst ein bißchen im Weg, Liebes, sagte der Vater. Warum gehst du nicht einfach mal raus, richtig in den richtigen Schnee? Warum hängst du immer im Zimmer rum?

Jetzt nur nicht trauern, ermahnte sich das Kind. Wenn Annalise nicht da war, redete der Vater zwar manchmal auch ganz erwachsen, und streng konnte er sowieso jederzeit mal sein, doch der Beigeschmack von Untreue fehlte dann.

Das Kind blieb draußen im Schnee, bis es seine kalten Fußzehen nicht mehr gut aushielt. Betrüblicherweise wußte es aber mit dem Schnee gar nichts anzufangen. Annalise und der Vater diskutierten in der Küche über ein Feature, das gerade, bei abgeschaltetem Ton, über den Bildschirm zuckte. Ab und zu starrten Waffenmündungen in die Küche, dann kamen statistische Erhebungen, ein alter Herr wurde interviewt, Panzer und Flugzeuge rasten vorbei.

Wie kann Gott das alles zulassen, Jeff? rief Annalise.

Sie schenkte Kaffee in Keramikbecher, und Nora sah, daß sie, ohne drauf zu achten, den Becher mit der Bemalung DER LIEBEN MAMA für sich selber und dem Vater den Becher NORA hinstellte.

Der liebe Gott, mein Gott, Jeff! Sag was! Wie kann er bloß?

Das ist menschliches Ermessen, sagte Noras Vater, den Erörterungen dieser grundsätzlichen Art durcheinanderbrachten. Ja, sie ärgerten ihn sogar. Nora dachte: Mach nur so weiter. Damit hast du kein Glück bei ihm.

Die Erwachsenen kamen überein, daß der Gott des Alten Testaments auch wohl kein sehr erfreulicher Weggenosse gewesen sei. Und bedenke die Brandkatastrophen, den Dreißigjährigen Krieg, den Hunger in der Dritten Welt, und frag dann wieder, sagte Noras Vater orakelhaft.

Er stand auf, schob sich einen Keks in den Mund, bewegte die angewinkelten Arme wie einer, der friert, und verkündete, er brauche ein bißchen körperliche Bewegung.

Und du, mach dich schön für die GONDOLA, rief er Nora zu, denn sie wollten heute abend zu Dritt italienisch essen.

Daß er sich aber noch einmal zu ihr herunterbeugte und, mit einem Kopfnicken zu Annalises GROSSEM WINTER hin, flüsterte: Uns beiden wäre ja ein Männchen da drauf noch lieber . . . das ergriff das Kind.

Als es allein in der Wohnung war, fiel ihm Annalises Gott ein. Wenn Annalise nur den Namen aussprach, Gott, dann kam der zu einem Fernsehintendanten oder Galeristen herunter. Ein kleines Männchen fehlt auf dem Bild! Rechts unten hin, ins weiße weiße Weiß – »das Papier spricht seine Sprache, und es ergibt sich ein Duett mit der Farbe«: das war ein Ausspruch von Annalise – rechts ganz klein, aber tiefschwarz mit mehrfach nachgezogenem Kulistrich drückte Nora eine Figur ins Papier. Der Rumpf des Männchens mißglückte. Nora verdickte ihn, aber nun sah er aus wie ein Turm. Ganz von selbst entstand die winzige schwarze Kirche für Annalises gottloses Weiß, mitten in ihrem GROSSEN WINTER. Nora prüfte, nach getaner Arbeit, wie es draußen um den Schnee stand. Verdammt, sagte sie. Der Vater hatte den Vorgarten fast schneefrei geschaufelt.

Wie kann Gott das alles zulassen, fragte in der größeren Runde – zufällig saßen am Nachbartisch Freunde – Annalise wieder.

Es roch stark nach Thymian in der GONDOLA. Nora liebte Löffel für Löffel ihr Eis, das wollte sie doch noch aufessen, und die anderen Erwachsenen wußten auch nicht, wie Gott das zulassen konnte; es lag schrecklich nah, an der Existenz Gottes überhaupt zu zweifeln, und Nora wußte noch nicht, ob sie nach dem Eis sagen würde: Ihr glaubt ja sowieso alle an keinen Gott. Oder ob sie schon was von der kleinen Kirche im GROSSEN WINTER verriete? Vielleicht schwiege sie ganz. Die Frage war so verkehrt, empfand das Kind. Auf so verkehrte Fragen gab Gott doch überhaupt nicht erst Anwort.

Der nächste Irrtum saß genau so tief, und so namenlos wie der mit Gott war er auch.

Schnee wird wieder fallen, möglicherweise, das ist ein Schaden, der wieder gut gemacht werden kann, der Vorgarten wird wieder weiß sein, erklärten dem Kind die Erwachsenen. Aber Annalises GROSSER WINTER, der ist für immer und ewig ruiniert.

Ewiglich, sagte das Kind, traurig war es, plötzlich, mehr für den Vater als um seiner selbst willen.

Du betest Papier an, schrieb es für Annalise auf, und weiße Farben, kein Wunder, daß du diese Sachen mit Gott und diesen Waffen nicht kapierst.

Zum Schneeschaufler da, dem Vater und PAPI, sagte es sich aber von jetzt an viel müheloser als vorher JEFF, sogar mit amerikanischem Zischlaut.

DIE KLEINE INNERE VERBINDUNG

Darf ich eine allerdings völlig banale Frage stellen – nur, sie ist wirklich für mich persönlich von außerordentlich großer Bedeutung!

Martha Flotow – gute Idee ihrer Eltern – sah nach links unten ins Auditorium, von wo die Frage gekommen war. Es erleichterte sie, daß Professor Kuhn sich gemeldet hatte. An diesem vierten Abend ihres Seminarzyklus stand schon fest, wer ihr Favorit bis zum Ende bliebe: Professor Kuhn. Schon am ersten Abend war sein Gesicht ihr unter allen am angenehmsten. Daran änderte sich nichts. Es war nie irgendwas Tückisches von ihm zu erwarten, auch nichts, das schwer in ihre Wissenslücken rammte.

Ja, bitte, ich bin neugierig.

Martha Flotow lächelte den Fragesteller an und ärgerte sich nur darüber, daß sie so schlecht ihre clowneske Alleinunterhalterart loswerden konnte. Er da unten, er hatte mehr Ernsthaftigkeit verdient. Daß er dem Fachbereich Psychologie angehörte, spielte bei Marthas Hinneigung zu ihm, einem dem Abgründigen auf seine Weise erkenntnisnahen Menschen, gewiß eine Rolle. Überhaupt nett, daß er sich nicht dafür zu schade war, ihre Studium-Generale-Veranstaltung zu besuchen.

Es geht um Hebräer 13, 14. Würden Sie bitte nochmal in Ihrem Manuskript nachsehen, ob Sie sich möglicherweise nur versprochen haben. Es ist lebenswichtig für mich. Sie sagten *sondern*, aber es muß – ich hoffe das dringend – es muß *aber* heißen. »Aber die zukünftige Stadt suchen wir.« Bitte.

Der Professor sah wirklich getroffen aus, als hänge ungewöhnlich viel vom ABER ab, ja, »die zukünftige Stadt«

schien selber in Gefahr. Und Martha Flotow schaute ins Manuskript. Sie las das gesamte Zitat nochmals vor. Nie fühlte sie sich auch körperlich so gut wie beim lauten Vorlesen von Bibelpassagen. Besser, ich wäre Laienpriester geworden, Wanderpredigerin, dachte sie dann, wenn sie Schwindel und Druck auf den Magen loswurde und nicht hüsteln mußte wie bei germanistischen Exkursen.

»Denn wir haben hier keine bleibende Stadt, sondern die zukünftige suchen wir.«

Das auszusprechen, bedeutete schon, daß es die zukünftige Stadt gab. Sie wurde erbaut, während der Satz über Martha Flotows Lippen kam, und stand dann vor ihr, mit lieblichen Wohnungen, Vorhöfen. Aber der Fall war noch nicht erledigt, so lang nicht die Kontrahenten, die einander zulächelten, jeder bei sich in ihren Bibeln nachgeprüft hatten, was Luther sagte.

Rufen Sie mich noch an, wenn Sie wollen.

Martha Flotow wußte nicht genau, ob sie Professor Kuhn noch auf einen kleinen Umtrunk mit hinauf in ihr Pensionszimmer bitten sollte. In Filmen fragten Frauen Männer, die sich zögernd vor ihren Autos verabschiedeten, ob sie noch einen Kaffee bei ihnen trinken wollten. In amerikanischen Filmen. Aber das hier war eine Pension und Erlangen.

Welche Zimmer-Nummer haben Sie? fragte der Professor.

Ja, er würde anrufen. Während der Autofahrt zu Martha Flotows Pension hatten sie über eine zweite Gemeinsamkeit – nächst der Liebhaberei, in der Bibel wie auf der Suche nach Bodenschätzen zu lesen, wie bei Probebohrungen – über ein zweites freundliches Laster gesprochen: den Drogenrausch, der für sie beide von Manhattan ausging. Überhaupt: Amerika. Es versetzte einen in Taumel, Betäubung. Etwas Unerlaubtes haftete diesem Glück an, fanden sie beide.

Ich bin dort ein ganz anderer, sagte der Professor.

Oh ja, das trifft es, ich auch, auch ich bin wie verwandelt, sagte Martha Flotow, und sie würde später überlegen, ob das zutraf oder nicht. Jetzt hätte sie gern hervorgebracht, daß das Herumschlendern in den Straßen Manhattans unbotmäßig war wie das Veranschaulichen Gottes, doch sie fand es etwas zu gewagt, hob es auf für später. Und wie sollte sie sich diesen ganz anderen vorstellen, als der Professor Kuhn durch die USA schweifte?

Ich nutze jede Gelegenheit, Tagungen, alles, erzählte er, und hänge ein paar private Wochen dran, fahre im Leihwagen einfach raus aus den Städten.

Martha Flotow hatte eine Spur nur übertrieben und mit ein paar Erfahrungen angegeben, die nicht von ihr selber gemacht worden waren, oder, ein bißchen und in einem gewissen Sinn waren diese Erfahrungen eben doch von ihr gemacht worden, wenn man ihre Einfühlungsgabe mitzählte.

Daß es immer noch schüchterne Menschen gab, erwachsene, noch nicht alte Menschen, die aber schüchtern waren, das kam einer Art Wunder gleich. Martha Flotow sah im Liftspiegelbild in ihr eigenes Lächeln, und der Professor blieb spirituell in der Nähe, als sie in ihrem Zimmer sofort das Neue Testament an der fraglichen Stelle aufschlug. Sie war es, die recht hatte, sie, mit *sondern*.

Der Professor erkannte jetzt überfallartig, daß er seine affektive Bindung an ABER auf einem Irrtum erbaut hatte. Trotzdem, der Schock fiel milder aus, als er erwartet hatte. Er lächelte, während er die Nummer der Pension wählte.

Etwas ganz Schönes und Seltsames wollte er sagen. Daß es ihm gar nicht mehr so leid tue. Daß eine gewisse, gar nicht reizlose Tragikomik die Verwechslung zur regelrechten kleinen Geschichte heranbilde, ja, eine neue affektive Bindung sei festzustellen.

Ich habe mich geirrt, doch doch! Ich war es! Aber doch: es muß *sondern* heißen, rief er nun schon zum dritten Mal Martha Flotow zu, und die beteuerte dagegen wieder: Es heißt nicht *sondern*, sondern *aber*.

Warum freute er sich denn nicht auffälliger? Er kam ihr eher enttäuscht vor. Obwohl man, am Telephon, sich irren konnte.

Und doch, wenn er nie herausfände, daß sie seinetwegen gemogelt hatte, eine Freundlichkeitsgabe, ein Liebesdienst. Die Fülle von Bibeltextversionen machte es gut denkbar, daß er das ihm zuliebe erfundene ABER für irgendeine der zeitgenössischen Unzuverlässigkeiten hielte.

Eine halbe Stunde später suchte sie im Telephonbuch beim Buchstaben K und fand seine Nummer. Name und Titel in Kombination mit Gärtnerweg wirkten ein bißchen albern. Hier im Telephonbuch war er »kein ganz anderer Mensch« und nicht ausgewechselt in einen Manhattan-Flaneur. Er kam gleich dran, nicht vorher eine Ehefrau oder so was, aber sie hatte ihn schon aus dem Bett geholt.

Es tut mir gräßlich leid, Sie so zu stören.

Macht überhaupt nichts, versicherte der Professor.

Er war gespannt, erfreut. Sie hörte das heraus. Auch seine Erwartung.

Sondern heißt es also doch, sagte sie und war neugierig auf sich selber; sie wußte nicht genau, ob sie ihr Bekenntnis riskieren würde.

Ja ja, leider, sagte er. Er lachte. Aber ich habe inzwischen das Gute an meinem Fehler entdeckt.

Ach ja? Und das ist?

Wir haben da eine kleine innere Verbindung, sagte er.

Sie wollte ihr Mogelei-Geständnis machen.

Das finde ich schon gut, schön finde ich's, das mit der kleinen inneren Verbindung, sagte sie.

Ich auch, ich find's auch schön, sagte er.

Sie wünschten sich eine gute Nacht.

Wir sehen uns nächste Woche zur gewohnten Zeit, oder?

Ja, ich denke, ich bin sicher.

Nochmals, gute Nacht.

Gute Nacht.

Sie hatten beide noch beträchtlich mehr Redestoff, aber sie telephonierten kein drittes Mal.

NO COMMENT

Hast du Zahnweh?

Kummer, nein nein, Kummer! Das konnte man darauf doch nicht antworten. Das Kind war nun schon stundenlang mit einem todernsten Gesicht durch die Wohnung gegangen und auch bei Tisch hatte es, nach seinem eigenen Dafürhalten, einen geradezu erschütternden, nämlich schwer betrübten und nachdenklichen Eindruck auf seinen Vater gemacht.

Jetzt fragte der nach Zahnweh! Solche Fehler waren ihm doch nie unterlaufen, in den früheren Zeiten vor Annette. Es gab eine neue Zeitrechnung, und zwar durch Annette, wie bei Jesus Christus, dachte das Kind, fand dann aber, daß der Vergleich schlecht paßte. Annette verdiente ihn nicht.

Als BERTIE spielte das Kind mit dem Vater doch auch Töchterchen-und-Vater, aber sowieso konnte man so leicht nichts mehr verstehen, seit Annette mit ihnen lebte.

Es ist eine Bereicherung, sagte der Vater am Telephon zu irgendjemandem aus dem Freundeskreis. Sie macht sich nützlich, gewiß, die kleine Annette, aber das habe ich nicht gemeint. Eine Bereicherung.

Er lächelte anders als vorher, manchmal. Er redete auch nicht mit genau der gleichen Stimme, zu Bertie ebenfalls nicht, das heißt: wenn Annette im selben Zimmer war.

Annettes Eltern verbrachten ein Gastsemester in Durham, North Carolina, Annette war eine entfernte Cousine Berties und nur drei Jahre älter als er. Schöner finden oder so, schöner als ihn, das durfte der Vater sie ja gut und gern, nur – ja was NUR durfte auf keinen Fall passieren? Was war es denn nur, in der Rangordnung, das sich bestimmt nicht ändern dürfte?

Du findest sie schöner als mich?

Bei dieser Frage Berties hatte der Vater ohne wirkliche Erheiterung aufgelacht.

Bist du etwa eitel? Bist du denn ein Mädchen? Haben wir vielleicht doch zu oft Töchterchen-und-Vater gespielt? Ja, vielleicht, wir hätten's vielleicht niemals tun sollen. Du bist doch nicht die Königin im Schneewittchen?

Ja, die bin ich, genau die, dachte Bertie. Knabe oder Mädchen, ganz egal, man muß am besten, am wichtigsten sein.

Eitel war Bertie natürlich auch, es verärgerte ihn, daß sein Vater das beanstandete. Sein Vater stopfte sich in zu enge Jeans und schnitt eine komische Grimasse, wenn er in den Spiegel sah. Aber für seine Freundin Katrin strengte er sich längst nicht mehr besonders an. Sie würden wohl bald zusammenziehen, aber heiraten doch wohl nicht. Auf Katrin eifersüchtig zu sein – ach, das war eine ganz uralte dumme Kindergeschichte, völlig abgetan, konnte vergessen werden.

Es war ein sehr sonniger Tag mit Schneeresten in den Vorortbezirken. Dieses Wetter nannte Berties Vater *amerikanisch*, und Annette stach Bertie wieder einmal aus, denn sie war schon zweimal in Übersee gewesen, das eine Mal in der Republik Irland und das andere Mal in Houston, Texas. Für Bertie gab es nur eine Methode, dieser neuen inneren Wut zu entkommen: er verließ den jeweiligen Schauplatz des Geschehens.

Bertie kam gar nicht mehr gern aus der Schule zurück und deshalb drückte er sich heute noch ein bißchen draußen herum. Heimlich hatte er Annettes Stundenplan auswendig gelernt. Sie müßte jetzt schon zu Haus sein, bei ihm zu Haus. Verdammt, und das ginge noch Monate so weiter, und dann, wer weiß, wenn ihre Zeit um wäre, ob dann der Vater wieder der von vorher wäre, genau so? Klar, die hatte sie nun einmal, wirklich schöne blonde Haare, zugestanden, zugegeben – aber ein zweites Mal wünschte Bertie nicht Zeuge zu sein, wenn sein eigener Vater, ein erwachsener Mann, von dem Besseres zu erwarten sein müßte, diese Cousinenhaare bürstete und kämmte; er war schließlich kein Friseur, oder wie?

Wir fragten uns eben, ob Annette die Haare abschneiden soll oder nicht.

So was wie »gut, daß du kommst«: sehr wahrscheinlich, daß der Vater das auch noch in seine Rede gemogelt hatte. Ihm, Bertie, kam er verlegen vor, wie erwischt sah er aus.

Annette möchte, sagte der Vater, ritsch, ratsch, ha ha. Und ich, ich bin dagegen. Was hältst denn du davon?

Der Vater hielt mittlerweile wenigstens nicht mehr Annettes Haare fest. Bertie wollte trotzdem nicht wieder zu den beiden hinüberschauen. Kurz und schrecklich war der Eindruck vom überführten Vater. Bertie würgte es. So jedenfalls nannte er das, was er im Hals spürte. Ekel und Traurigkeit rannen ineinander.

Kein Kommentar, sagte er und bereute nur, daß er es nicht auf Englisch hingeschmettert hatte.

Beim nächsten Mal auf Englisch, nahm er sich damals vor. Er wußte auch nicht genau, warum er sich eine stärkere Wirkung vom Englischen versprach. Gäbe es ein nächstes Mal? Wäre es heute? Bertie kickte Schneeschollen vor sich her. Häßlich, nämlich mittelbraun, trat die alte Erdkruste auf der Zufahrt zum Haus zutage, und Bertie empfand plötzlich geradezu jeden einzelnen kommenden Tag als Last, diesen ungünstigen Ballen Zukunft, und nichts fiel ihm ein, worauf eine Vorfreude anzusetzen wäre.

Sie waren beide nicht in der Wohnung, Vater und Cousinchen. Bertie holte sich eine Dose Coca Cola aus dem

Kühlschrank und setzte sich vor den Fernsehapparat. Unordnungen häuften sich, nach Christi Geburt, nach Annettes Einmischung; früher genügte ein Handgriff, um die Programmillustrierte zu fassen zu kriegen, und heutzutage, ja da mußte man schon froh sein, wenn sie überhaupt gekauft worden war. No comment, übte Bertie. Er sah den Bildern aus einer Tom Sawyer-Folge zu, ohne irgendwas zu begreifen. Auch fernsehen war nicht mehr dasselbe.

Wo steckten sie denn nur, diese Zwei? Auf getrennten Wegen oder zusammen, steckten die Köpfe zusammen?

Hallo, Bertie, riefen sie dann im Chor.

Sie machten einen zusammengehörigen Eindruck, wie sie da in der Diele die Mäntel und die nassen Schuhe auszogen, und Bertie blickte anderswohin. Nach Zahnweh wollte er sich nicht noch einmal fragen lassen.

Stell dir vor, wir haben gemeinsam die neue Leselampe gekauft, sagte sein Vater. Deine Cousine besitzt eine kaufmännische Ader, sie hat mich vor einer dummen Verschwendung bewahrt!

Und der Vater erzählte, unterstützt von eingestreuten Ergänzungen Annettes, die kleine Einkaufsgeschichte. Sie waren heiter, lachten durcheinander. Bertie merkte, daß sie mehr um ihrer selbst willen die Episode wiederholten. Es war nie, seit Bertie zurückdenken konnte, vorgekommen, was sich da heute, wie aus dem Stegreif, ereignet hatte: sein Vater machte ohne ihn eine wichtige Anschaffung. Und wenn nur dieses »ohne ihn, Bertie« nicht gleichzeitig »mit« jemand anderem bedeutet hätte!

Na schön, gegönnt, dachte er nachträglich.

Gefällt sie dir?

Annette fragte. Der Vater schleppte die Lampe ja aber eben erst aus dem Kofferraum des ESCORT herbei, da kam er vergnügt durch den angeschmutzten Vorgarten, und die

Lampe sah in ihren unordentlichen Verpackungshüllen wie eine Leiche aus. Das paßte, die Leiche! NO COMMENT wurde verschoben. Bertie hatte sowieso das Vorgefühl, die schwerste Einbuße stehe noch bevor. Und er brachte das heraus, das mit der Leiche, daß die Lampe so aussehe.

Häßliche Sachen sagt er halt manchmal, harte Sachen, er ist kein freundliches Mädchen, beschwichtigte sein Vater die Cousine, überflüssigerweise, fand Bertie, denn Annette kam ihm, obwohl sie so zart und so süß und blond aussah, gar nicht weich vor. Überhaupt nicht leicht zu erschrecken.

Auch Bertie wandte eine ganz gute Technik an, indem er gespielt fröhlich reagierte, ja, fröhlich schien er in der Küche eine Packung Nußkrokant aufzureißen. Zuerst hatte er versucht, einen gleichgültigen Eindruck zu machen, aber mit der Gleichgültigkeit kam er nicht zurecht. Fröhlich sein, das gelang, oder war er bereits zynisch? Was es auch war, es mußte die beiden verwirren. Bertie empfand Genugtuung, jedoch auch, daß ihn das alles anstrenge.

»Doch was am meisten ihn entsetzt/Das Allerschlimmste kam zuletzt.« Altes Kindergedicht. Bertie kam es plötzlich in den Sinn. Vor vielen Jahren – vor zwei? Oder schon vor drei Jahren? – da hatte er den Vater damit überrascht, daß er im Verlauf von nur einer einzigen WC-Sitzung den Kalenderreim des laufenden Tages auswendig lernen konnte. Und dann sagte er ihn auf, in einem schwerverständlichen Kinderton, und der Vater sagte LOBI LOBI. Sie hatten das lang und so gern gespielt.

Es hemmte Bertie, daß Annette mithören konnte, wenn er Guitarre übte. Elenderweise wirft mich dieses verdammte Gastsemester dieser verdammten Cousineneltern total zurück auf dem Instrument: wahrhaftig, das hatte er bei Tisch gesagt.

Du kannst doch spielen, keiner hindert dich daran.

Sein Vater fing diesmal von selber mit diesem Thema an.

Spielen! rief Bertie. Man setzt sich nicht einfach hin und SPIELT. Glück gehabt mit der Tongebung, fand er und überlegte, ob es etwas erbrächte, den beiden einen Vortrag über das Üben auf einem Musikinstrument zu halten.

Sie aßen Schinkensalami-Pizza. Annette benutzte den Backofen, den Bertie und der Vater, so lang der Herd in der Küche stand oder: seit die Mami weg war, nie angerührt hatten. Das wurde nun jedesmal wieder mit reichlichem Applaus vom Vater bedacht. Und daß sie die Schimmelansiedlungen im Backofen weggeputzt hatte, wurde gefeiert wie ein frisch zu numerierendes Weltwunder.

Wenn ein Mensch ernsthaft übt, dann braucht er dazu die absolute Ruhe, behauptete Bertie.

Ruhig ist es doch, was willst du, sagte der Vater.

Ich hör gern zu, sagte Annette.

Wenn man sich konzentriert auf irgendwas, dann hört man sowieso nur noch, was man will, sagte der Vater. Oder nicht?

Wenn schon jemand zuhört, dann müßte es jemand Sachverständiges sein, antwortete Bertie.

Hört hört, machte sein Vater, der Profi spricht.

Kann schon sein, sagte Bertie.

Warum machst du nicht in einer Musikgruppe mit, das frag ich mich, und die üben auch zusammen, wirklich, sagte Annette.

Schon gut, Bertie winkte ab. Ist schon gut. Ich vertröste uns auf den Herbst, die Guitarre und mich.

Auf diese Ausdrucksweise war er eigentlich stolz, aber Komplimente des Vaters für Annettes Nizza-Salat, oder wie er hieß, kamen ihm dazwischen. Und obwohl Bertie manchmal fürchtete, mit dem Gastsemester sei nicht alles gegenwärtig Leidige abgetan, Annettes Ära dauere über Durham, N. C. hinaus an – und wenn auch vielleicht nur als schlechte Laune beim Vater – so lebte er doch auf den Herbst zu, auch was die Guitarre betraf. Daß er nicht zum Üben kam, lähmte ihn. Er spürte es wie einen Schaden, den er selber nahm, und die Guitarre tat ihm derartig leid, als wäre sie ein anderer Mensch.

»Doch was am meisten ihn entsetzt . . .« Das Allerschlimmste, es ereignete sich an einem Freitagabend. Früher waren die Freitage, vom Nachmittag an, geheime Feiertage für Bertie und den Wochenend-Vater gewesen. Wenn freitags etwas Unangenehmes vorfiel, wog das doppelt, so viel wie ein richtiges Unglück.

Auf das, was da passierte, das *Allerschlimmste*, war Bertie nicht vorbereitet, auf das hin konnte er wahrhaftig nur das Gesicht machen, das nach Zahnweh aussah. Es fielen ihm zu viele häusliche Szenen ein, in denen sein Vater ein unüberschaubar großes, aus kompetenten Fans zusammengesetztes Publikum abgegeben hatte, zum Beispiel, wenn Bertie *We can work it out* spielte oder bei *Amigo Hero Mio*, einer eigenen, spanisch inspirierten Komposition.

Jetzt kommt die Überraschung, Bertie, los, paß auf, das rätst du nie, spornte sein Vater ihn an.

Sie mußten sich vorm Gästezimmer aufstellen, Bertie neben seinem Vater, der gegen die Türfüllung ein mit Annette verabredetes Zeichen klopfte. Und dann hörte Bertie sich das Furchtbare an. Auf seinem eigenen Instrument, der eigentlich nicht besonders treuen Guitarre – wie erwachsen sie klang, irgendwie gerissen, komisch, so raffiniert und geleckt – auf dieser Guitarre spielte Annette, wer denn sonst, die insgeheim geübt hatte – aber wann denn bloß – nach drei Tonleitern irgendsowas Barockes, so ein Menuettchen, und der Vater sagte:

Hat ja doch immer noch ein bißchen gefehlt, diese Art Musik, Bertie, findest du nicht auch?

Oh, er wußte so viele Antworten. Alles im Gästezimmer stürzte in ein Kaleidoskop, und Bertie erkannte in den Mustern Annettes Finger in den Guitarrensaiten und die blonden Haare und den Pulloverrücken seines Vaters und er hörte dazu Geklimper und Gelächter und Stimmen.

Nur gerührt sein über sie, das darf er nie, er darf Annette schön finden und tüchtig und alles andere. Alles andere geht. Aber nicht das Gerührtsein. Das war es, was Bertie jetzt erst deutlich wußte. Diese Gefahr hatte er am meisten gefürchtet. Das Allerschlimmste war passiert, denn den Vater rührte sie, die kleine Nebenbuhlerin, sie ging ihm zu Herzen. Indem er über einen anderen Menschen als Bertie gerührt war, betrog ihn der Vater.

Schön, was? fragte der Vater mit dieser weichen Stimme, die er nur ein einziges Mal vergeben konnte.

No comment, sagte Bertie – aber dummerweise erst später, in seinem Zimmer, allein.

Du siehst es also jetzt endlich ein? Ganz und gar aufrichtig?
Das Kind sah dem Vater an, wie fröhlich er wurde. Immer
fröhlicher. Ja, bestimmt, wiederholte das Kind. Und zu
seiner eigenen Überraschung tat es an diesem Nachmittag
zum ersten Mal aber wirklich – »aufrichtig« mußte das
wohl heißen – nicht mehr im Kopf so weh. Es war nicht
nur im Kopf, wo es wehgetan hatte. Es machte so steif und
so schwerfällig, bisher immer.
Wunderbar, sagte der Vater.
Ja, aufrichtig, wollte das Kind sagen, aber dann verlor es
den Mut zu dem ungewöhnlichen Wort, es sagte:
Ja, wirklich, ich seh's wirklich ein.
Ganz prima, sagte der Vater. Noch Kuchen? Irgendwas
sonst? Ein schönes Eis?
Der Vater fuchtelte ziemlich aufgeregt herum. Die Kellnerin schien ihn lästig und etwas albern zu finden.
Nein danke, sagte das Kind. Fast machte es ihm Spaß, die
Feindschaft der Kellnerin auszuhalten.
Und sie will ja überhaupt nicht, daß du sofort über-
schwänglich und stürmisch bist. Verstehst du?
Der Vater redete drauf los. Das Bezahlen war ihm trotz-
dem nicht egal, er und die Kellnerin schoben bis zuletzt
noch wie bei einem Brettspiel Münzen zwischen ihren
Fingerspitzen hin und her, und wie verschmiert die Marmorplatte vom Café-Tischchen war. Auch auf der Straße
blieb der Vater so aufgedreht, und erklärte mit den
Händen: Keine besonderen Zärtlichkeiten, verstehst du.
Wird alles nicht von dir erwartet. Er lachte. Oder, beziehungsweise, von ihr. Keiner erwartet das.

Hm hm, machte das Kind.

Sag bitte nicht immer *hmhm*, sagte der Vater. Halt ich für keine gute Angewohnheit.

Als das Kind ganz aus Versehen nun wieder *hmhm* antwortete, wurde er sofort gereizt. Offenbar hatte er von jetzt an, seit der Fall geklärt war, nicht mehr genug Zeit. Er machte große Schritte, ging rasch. Das Kind spürte sein Wegstreben, und wie ungern er an der Ampel wartete. Weg wollte er, ungeduldig, zu ihr hin, vermutlich, wie üblich. Lizzy, zu der das Kind manchmal noch ELISABETH sagte, aber es machte bei den beiden damit nicht mehr Furore; anfangs hatten sie geradezu gejubelt, und der Vater war in Begeisterung geraten: wie feierlich du aussiehst, meine Kleine . . . Schwer war es geworden, bei den Zweien noch Ruhm für irgendwas einzuheimsen. Es ging darum, überhaupt noch Aufmerksamkeit zu erregen.

Kannst du nicht ein bißchen flotter gehen, was ist los?

Der Vater drängte. Das Kind hatte Lust, wieder die gute Laune bei ihm zu erzeugen, wie vorhin im Café Zimmermann, und es stimmte ja auch, es selber hatte einen Fortschritt gemacht in seiner Gefühlswelt – der Vater sprach von *Gefühlswelt*, beim Kind – und in Bezug auf Liz Oberfeld wirklich – wirklich *aufrichtig* – Groll und Eifersucht und Angst verloren. Die Angst vielleicht nicht, noch nicht, nicht ganz. Es war froh, daß der Vater nicht mehr diesen traurigen Eindruck machte.

Sie besteht auch nicht mehr drauf, du kannst gänzlich beruhigt sein, sagte der Vater beim Einbiegen ins Fußgänger-Paradies, wo man sich besser miteinander unterhalten konnte.

Was denn, auf was denn, fragte das Kind.

Aber hör mal! Das war doch so ein Riesentheater und du hast's veranstaltet.

Ich weiß jetzt nicht.

Das Kind entdeckte, daß es immerhin ganz lustig war, sich zu verstellen.

Na gut, wenn das so ist, hör zu: du brauchst weder Mami noch Mutter oder irgendwas zu ihr zu sagen. Einfach Liz. Was du willst. Sag mal, hast du hier einen Wunsch?

Der Vater blieb angenagelt stehen, lachte, sie befanden sich vor den osterkelchförmigen Warenständern eines Schuhgeschäfts.

Nein danke, sagte das Kind.

Ach, du kleiner Dummkopf, lachte der Vater. Du mußt noch lernen, Situationen auszunutzen. Mußt noch diplomatisch werden, he? Schau mal, prima Stiefelchen, oder wie? Sind die nicht wundervoll? Rote wolltest du doch immer.

Na gut, sagte das Kind.

Beim Anprobieren war es abgelenkt. Für Schuhe interessierte es sich sehr und schon, seit es noch ganz klein gewesen war. Dann aber, an der Kasse, betrachtete es sich neidisch die Locken eines etwas älteren Mädchens, das vor ihnen stand. Genau solche Locken zu haben! Mit so Locken, wenn ich genau die hätte, wäre mir alles egal, dachte das Kind. Jeder Kummer, ganz egal was. Sich selber im Spiegel gegenüber vom Verkaufstresen fand es geringfügig und merkwürdig platt, wie zusammengequetscht. Wie eine kleine nebensächliche Motte sah es aus, aber das Mädchen mit den Locken glänzte, also konnte es nicht am Spiegel liegen.

Immerhin, ich habe meinen Kummer, sagte es sich, ich bin wichtig, mich muß man überreden und bitten. Es fühlte sich, während es die Locken des andern Mädchens vergaß, regelrecht aufpoliert. Den Heimweg genoß es. Gern schleppte es das große Stiefelpaket selber, gern hörte es seinen kleinen Schritten zu, immer neben dem Vater her. Dieser Zustand erinnerte das Kind an seine letzte, beinah tragische Halsentzündung und daran, wie es verwöhnt und ernstgenommen worden war, oft mit Mövenpick-Eis, aber auch mit Vorlesen und Filmeanschauen tagsüber auf dem zum Bett pompös überwölbten Canapé. Nach dieser Zeit Heimweh zu haben, hatte das Kind sich angewöhnt.

Der Vater nahm das Kind jetzt sogar an der Hand. Hand-in-Hand-Gehen mit dem Vater liebte das Kind besonders. Er pfiff ihr Lied, ihrer beider Lied, das spanische, ja vielleicht kamen die guten alten Zeiten doch wieder zurück, als Lohn der Selbstlosigkeit oder was das gewesen war, beim Kind, nur: wieso sollten sie, ausgerechnet jetzt, seit – vorhin im Café Zimmermann – abgeklärt war, *abgeklärt, aufrichtig* . . . was denn eigentlich? Ich sehe alles ein. Das Kind wiederholte den Satz stumm inwendig. Es fühlte sich wohl, hatte keine Ahnung, warum. Sie machten jetzt das Spiel mit dem festeren Zudrücken der Hände, immer einmal zwischendurch drückte das Kind seine Finger etwas fester gegen die Handfläche des Vaters, und er signalisierte Einverständnis, gab den kleinen Druck zurück.

Der Vater hatte neulich zu Liz Oberfeld, bei einer Verteidigung des Kindes, bei einer Rechtfertigung seines Trotzes, mit lauter Stimme erklärt:

Lizzy, was du hier bei einem Kind erlebst, das ist gewissermaßen die Ästhetik des Widerstands. Und zwar nicht von einem erwachsenen und klugen Schriftsteller, sondern: Original Kind. O-Ton Kind. Ha ha! Wirklich und wahrhaftig, ich bin froh darüber, liebe Liz, obwohl uns das Schwierigkeiten bereitet, wahrhaftig froh darüber bin ich, ein nicht opportunistisches Kind mein eigen zu nennen. Es würde mir nicht passen, wenn sie anders wäre, meine Kleine. Kleiner Rebell, he?

Plötzlich die Amsel, drei Schritte vor ihnen auf dem Pfad in der Hobrecht-Anlage. Wie zahm die Amsel war! Sie

scharrte im alten Laub vom letzten Herbst. Es war gemüt-
lich dunkel an dieser Stelle der Anlage. Das Kind blieb
selbstverständlich stehen. Es und der Vater, sie blieben
doch immer sofort still stehen, wenn sie darauf aufpassen
mußten, einen Vogel nicht zu stören. Sie waren zwei
Vogelkenner, richtige Observierer. Der Vater fragte:
Was ist, na, was ist denn?
Er war schon einen Schritt weiter, aber noch kümmerte die
Amsel sich nicht um ihn.
Die Amsel da, sagte das Kind zwar noch, aber schon gab es
die gute alte Sitte das Abwartens preis und folgte dem
Vater.
In sämtlichen Zeiten vor Liz Oberfeld wäre es undenkbar
gewesen, eine Gelegenheit wie diese zu versäumen. Sie
hätten jeden Vogel beobachtet, aber auch jeden. Die
Amsel flog auf. Unnötig, unfreundlich, die Amsel mithin-
einzuziehen. Kein Laubgeraschel konnte den Vater noch
aufhalten. Da wußte das Kind, wie etwas, und zwar das bis
dahin Allerwichtigste, vorbei wäre zwischen ihnen, von
nun an und für immer, bei jedem künftigen Vogelbetrach-
ten und überhaupt.
Es überlegte, ob es den Stiefelkarton unvermutet hinfallen
lassen sollte, oder ob es ihn wegschmeißen sollte – aber:
erübrigte es sich nicht? Doch die Amsel tat ihm so leid, es
drehte sich nach der Amsel um, ob das dieselbe war, dort
hinten am Rand des kleinen Laubhaufens, wie sie da
herumscharrte, als hätte sie die Lust verloren. Ja, die
Amsel tat dem Kind so leid.

DIE UNZERTRENNLICHEN

Diesmal sah sie aber nicht wie sonst nur scheintot aus. Drei Uhr mittags, eine Zeit, die zu Mütterchen Otti paßte, wenn es ums Sterben ging. Die Gluthitze ebenfalls, das ortsfeste Hoch. Clivia stand in der Wohnzimmerdämmerung so still, als könnte jede Bewegung ein schwerer Fehler sein. Eine Korrektur des Todes. Wichtiger Moment, empfand sie. Später erst, bald übrigens, würde sie sehr traurig werden. Damals, bei ihm, dem Väterchen Otto, da hatte sie es richtig machen können und den Urschrei ausgestoßen. Und zwar sofort. Eine ganz andere Situation, seinerzeit, Clivia dachte oft dankbar daran zurück, denn etwas Grundsätzliches war vom Urschrei erledigt worden, und alles Kleinmütige blieb ihr erspart, wenn sie an ihn zurückdachte.

Im Garten warteten die Verwandten auf sie. Bei geschlossenen Klappläden, offenen Fenstern gebot es sich, leise zu bleiben. Es wäre schade um den ganzen Tag, sinnlos also, Lärm zu schlagen. Clivia war sich aber vor allem nicht sicher, wie Oliver sich benähme. Er als die Hauptperson, der Mittelpunkt aller Toasts und Sauerbraten-Kaffee-Kuchen-Schlachten, er wäre vermutlich gekränkt, sofern Clivia und deren Verwandtschaft sehr viel Wirbel um diese Sachlage hier machten. Sachlage! Da lag sie, zu einer Sache würde sie nun allmählich werden. Mach keine Sachen, murmelte Clivia. Kam das von der Hitze, daß sie so dösig und doch scharf reagierte? Die Hitze, die kaltblütig machte. Geistesabwesend, und doch wieder klar, und eben: kalt. Kalt! Seit mehr als einer Woche war überhaupt nichts mehr kalt gewesen. Bis auf mein Herz, dachte Clivia und war erstaunt. Sie fühlte sich gar nicht mit sich selber

vertraut, mehr wie eine Figur aus einem zufällig aufgeschlagenen Buch, in dem ein anderer las. Sie entsprang
nicht einmal ihrer eigenen Lektüre. Das war gar nicht ihr
Geschmack. Die paar Griffe in den Eisschrank pro Tag,
nach Fundstücken für die Notmahlzeiten, zu denen man
sich überwand, doch, die waren kalt gewesen. Das einzig
Kalte, bis auf mein Herz. Da war wieder die fremde, von
einem Fremden geschilderte Person. Diese Person hatte
auch vorhin einer Stubenfliege dabei zugeschaut, wie sie in
den Eisschrank hineinirrte, und schnell die Tür zugeschla-
gen. Gar keine schlechte Idee, etwas Trinkbares dort zu
suchen, einerseits. Andererseits, heute war so ein Tag, an
dem sowieso viel zu viel getrunken und gegessen wurde,
und noch eine Tote wäre eine gewisse Überdosis. Abwarten, riet Clivia sich. Und die im Garten bekämen von ihr
statt des angekündigten Eiskaffees heißen Tee serviert.
Viel bekömmlicher, würde sie rufen.

Clivia, die nur ins Haus gekommen war, um Tante Zäzilies
Lesebrille zu holen, bemerkte die Trance deutlich; durch
die blieb sie an diesen Platz im Rahmen der Flügeltür zum
Wohnzimmer gebannt. Bannmeile. Bannkreis des Todes.
Gute, alles in allem günstige und gute Fügung. Von den
UNZERTRENNLICHEN hieß es, daß die Weibchen dem
Naturverdikt, das zu ihrem Namen geführt hatte, eher
zuwider handeln, also überleben konnten als die Männchen. Die Männchen, falls ihre Weibchen zufällig vorher
mit Sterben dran waren, gingen sofort ein, folgten nach.
Zuwiderleben. Mütterchen Otti hatte es gut zwei Jahre
lang gepackt. Clivia fiel ein, wie oft sie das, mit stillem
bekümmertem Vorwurf an die eigene Adresse, eine Spur
gemein gefunden hatte.

Eins, zwei, drei, vier, fünf, sechs, sieben . . . sie war eine
richtige Zählerin, dachte manchmal, es sei höchste Zeit,
diese Manie loszuwerden, ja, schon handelte es sich nicht

mehr nur um eine Angewohnheit, schon hatte das viel Ähnlichkeit mit einer Sucht, und keinem Menschen könnte Clivia anvertrauen, daß sie innerlich zählte, wenn Oliver mit ihr... wenn er sie... einem Nervenarzt müßte sie es eines Tages vielleicht sagen, in welchen Worten? Jetzt zählte sie nur bis zu ihrer glücklichen Sieben, und zwang sich dann, ehe die Acht käme, und alles wieder so zäh und mühselig würde wie: 53, und Oliver gab sie frei, dann, nach der Glückssieben, zwang sie sich dazu, schaute genauer hin: Kreaturen starben so, so aufgeklappt, so dürstend. Clivia hatte noch nicht viele Tote gesehen, tote Menschen nur zwei, aber an geschlossene Münder oder Schnäbel konnte sie sich nicht erinnern. Augen offen. Dieser Augenschein. Sanfter Nachmittagsschein, Juliabglanz auf ihr. Nichts vermittelte den Eindruck von Tilgung. Winzigste, geringfügig flache Luftzugbewegungen in der Hitzedämmerung täuschten vor, daß sie noch ein bißchen atmete.

Aus dem Garten hörte Clivia ihren Oliver soeben laut lachen. Es wäre häßlich, ihm mit Mütterchen Ottis Tod alles zu verpfuschen. Clivia lauschte am Spalt zwischen den Ladenflügeln.

Bin verdammt froh, für sie einen neuen Spießgesellen aufgetrieben zu haben. Ein richtiger Süßholzraspler ist er, sagte Oliver.

Wollt ihr's wirklich wieder damit aufnehmen? fragte Lisel.

Nomen est omen, prahlte Oliver.

Diese Stimmlage hatte Clivia bei ihm nicht besonders gern. Sie fand, das Material, aus dem ihre Zuneigung sich speiste, habe sich ein wenig abgenutzt. Als seien Motten drin gewesen. Materialermüdung, sagte Oliver, als sie neulich die mürbe Gummileiste in der Eisschranktür untersucht hatten. Der Eisschrank! Die Fliege! Das Erfrieren! Der Bestattungsort wäre unten beim Taxus, aber die Tanten, vor allem Zäzilie als Pflanzenenthusiastin, hätte in dieser Jahreszeit keine Lust, dort graben zu lassen. Die Hortensien gingen wahrscheinlich vor. Doch mußte Mütterchen Otti neben Väterchen Otto ruhen. Der Garten schwitzte, die Büsche dämmerten in hohem Fieber. Kranker Garten. Was redete Oliver da bloß von einem, der nun, in seinem Ausruf, Großväterchen Ottmar hieß.

Erstens will ich sowieso seit zwei Jahren schon ihr Witwendasein beenden.

Es geht ihr doch aber ganz gut, sagte Tante Marthe.

Nur immer die Hitze, die packt sie schlecht, sagte Lisel.

Zweitens brenne ich drauf, jetzt mal rein als Forscher, rauszukriegen, ob sich eine neue Unzertrennlichkeit bilden läßt. Unzertrennlichkeit. Oliver trennte die Silben, beim lautmalerischen Sprechen.

So lang er so gut abgelenkt war, vermißte er seine Clivia nicht, auch nicht das versprochene Getränk. Seine Braut, von nun an. Nach fünf Jahren – Clivia bemerkte, daß sie wieder ins Zählen geriet und weitermachte: sechs sieben acht neun – fanden sie beide – eins zwei: wirklich beide, wirklich wir ZWEI? – es sei doch Zeit für die altmodische Lösung Verlobung, Heirat, Ehe. Unzertrennlichkeit. Bald wäre er mit dem Dozieren fertig, und sein Durst, gleichzeitig mit Clivia, käme ihm zurück in den Sinn.

Ein Flugkäfer interessierte sich für Mütterchen Ottis Vergänglichkeit. Ewigkeit, korrigierte sich Clivia. Die Juli-Insekten waren überaus schwer umzubringen, im laufenden Sommer, als seien sie von den freudigen Ereignissen in Olivers Leben inspiriert. Die Promotionsfeier! Die Hornissenart, durch die Clivia sich seit Olivers bestandenem Examen belästigt fühlte, erkannte sie auf keiner Abbildung in dem von Oliver begreiflicherweise verachteten Buch UNSERE SPRACHLOSEN GARTENFREUNDE wieder.

Es würde zu Mütterchen Otti passen, alles nochmal rückgängig zu machen. Oh, diese sengende anstrengende Hitze! Oh nein, ich mag nichts trinken, es ist nicht der Durst, der mich quält, oh ihr Anfänger, ich bin alt, ich weiß es besser. Sie hatte immer ihren eigenen Kopf, auch dem Väterchen damit getrotzt, Kinderkopf, Kindheitsvogelköpfchen, borniert und lebensklug in einem. Vertrocknet sah sie zwar nicht aus, aber konnte es nicht dennoch sein, daß sie ausgetrocknet war? Sogar Depressionen entstanden, einfach durch Flüssigkeitsdefizit. Alte Lebewesen, denen das körperliche Verlangen nicht als Wunsch nach Trinkbarem auffällt, doch, so stand es im Lexikon, und Oliver hatte es oft gepredigt, und in diesem Augenblick, beim Erinnern, liebte Clivia ihn in Heiratslaune, denn er hatte es so nett erklärt, ohne *alte Menschen*.
Er ist ein alter Spaßvogel, der Neue.
Clivia hörte zu. Oliver lachte. Die Tanten lachten. Ein Flugzeug unterbot die erlaubte Flughöhe. Oliver würde darüber schimpfen. Das Thema MILITÄR, dann Politik allgemein schlösse sich an. Es gäbe fast keinen Streit, vorausgesetzt, sie vermieden die Sozialgesetze. Es ging allen gut, nur Tante Zäzilie war mit einer kleinen Rente dumm dran, aber bei Temperaturen um 30 Grad unkämpferisch.
Eigentlich müßte ich diesen Flugkäfer von ihr wegscheuchen, dachte Clivia. Im halbverdunkelten Wohnzimmer fühlte sie sich, nach den grünlich gesprenkelten Lichtverhältnissen im Garten, ein bißchen blind und säuselig, etwas gefährdet auch, als wäre der Tod dort drüben, eins zwei fünf sechs Schritte von ihr entfernt, eine ansteckende Krankheit. Es kam Clivia trotzdem angenehm hier drin vor und sie empfand Erleichterung. Geschafft, gepackt. Machen wir ruhig alles in einem Aufwasch. Sie mußte an die Hornisse denken, die sie am frühen Morgen schon

ermordet hatte, ebenfalls mit einem Gefühl von Leistungs-
ethos. Das Leben war so vorläufig. Allem täglichen Irren
und Schwirren haftete viel Unerledigtes an. 33, 34, 35, 36.
Aus Angst und Ekel bildete sich die Wut in Clivia, die sie
instandsetzte, zuzuschlagen, zuzudrücken... 45, 46,
47... Auch Liebe war im Spiel. Die Hornisse hatte ihr
ganz schön zu schaffen gemacht. Trotz großer Aufräum-
panik brachte es Clivia an manchen Sommertagen nicht
gut fertig, sehr körperliche, sehr reliefartige Wesen zu
pressen. Tödlich zu pressen. Motten waren ihr lieber,
wenn es um Abschaffungen ging. Die Hornissen dieses
Hochsommers wirkten geradezu fleischig, obwohl sich
ihre Oberfläche rauh und borstig unter der Sandalensohle
bemerkbar machte.
Warum war neben dem Sofa das Strickzeug auf den Boden
gefallen? Aus diesem Sweater würde nichts mehr. Wer
strickte denn sonst noch in dieser Familie? Irgendwie
furchtbar dumm kam es Clivia plötzlich vor, daß Leute
damit anfingen, Maschen aufzunehmen, ein Zählwerk, so
ein Strickzeug, und daß sie neue Sommerschuhe gekauft
hatte, da neben dem Sofa, das waren doch neue Sommerschuhe! Und das Insektenspray, auch eine Errungenschaft
der letzten paar Wochen. Verrückt! Lauter Starts, idio-
tisch! Kurzsichtig, immer wieder bei Eins loszulegen.
Kommst du eigentlich jemals wieder zu uns andern raus in
den Garten? Und was ist mit dem Eiskaffee?
Hatte Clivia sich verhört? Wie ging es der Fliege, arktisch?
Alles Mögliche wird man von nun an vermissen, dachte
Clivia. Aber aufs Ganze gesehen, hatte es da nicht viel für
sich? Und glich dem Ordnungmachen? Mütterchen Otti
war allen, und zwar seit es so extrem heiß wurde Anfang
Juli, reichlich kopflos vorgekommen, nicht ausgeschlos-
sen, daß sie, wie ihre Schwester Olga, lang her, lang tot,
einfach den Verstand verlor, das bißchen Grips, das nun

einmal ins Radargerät gehörte, bei Menschen und Papagei-
en. Oliver fragen. Sie hatten allesamt Vornamen, die mit
einem O anfingen, Oliver und ihre Liebsten. Den Verstand zu verlieren, welch ein Trick! Stand jetzt Oliver in
der Holzveranda, wo es besonders heiß war, und sah er
nicht etwas gereizt aus, der promovierte Ornithologe?
Was treibst du denn hier?
Ich komm schon, ich komm schon.
Clivia wunderte sich darüber, daß sie so angstvoll darauf
achtete, kein lautes Geräusch zu machen. Als wäre Mütterchen Otti doch noch einmal aufzuwecken. Oh, Oliver,
er würde ihr immer auf den Fersen bleiben, 127 Tausend
neun Millionen 63 . . . Irrsinnige Zahlenarbeiten standen
bevor.
Was hast du eigentlich, fragte Tante Lisel, du rührst den
Gewürzkuchen überhaupt nicht an, magst du lieber
Kirschauflauf, Clivia, Liebes? Das Mütterchen aß schon
das dritte Stück Kuchen. Oliver ließ sich mit Kaffeetassen
zuprosten. Hallo, Herr Doktor! Sollen wir von nun an SIE
sagen?
Es ist doch nur ein Papageienweibchen, Clivia, wenn du es
dermaßen tragisch nimmst, den Tod von Vögeln, dann
eignest du dich nicht für eine größere Zukunft.
Sie lachten alle, alle fieberkranken unzertrennlichen Zähl-
organismen.
Du hast ausgesehen, als wärst du tot, wollte Clivia eines
Tages aber zu ihrer Mutter sagen; das Mütterchen erzählte: Ganz wundervoll habe ich geträumt, aber ich könnte
selbst unter Folterqualen nicht mehr rauskriegen,
wovon.
War es was Schlimmes, was Böses, fragte Tante Zäzilie und
reichte das Blumenalbum weiter, und wie immer faßte sie
ihre Lesebrille unbesorgt an den Gläsern an, weshalb Oliver
nun sofort Kritik äußern würde, eins zwei drei vier . . .

Es war irgendwas mit Clivia und überhaupt nichts Böses, nur hab ich's vergessen. Reizend sieht das Kleid aus, mein Kind, du könntest viel öfter Kleider anziehen, himmelblaue.

Komplimente wie dieses würden fehlen.

Du könntest viel öfter den Doktor machen, rief Tante Marthe.

Wieder das Lachen, Applaus Applaus, für einen schwerkranken, infizierten Gartennachmittag, und am Abend würde Oliver den neuen Papagei abholen, für ein neues Experiment. Schönes Spiel ziemlich zahlreicher Unzertrennlicher. Clivia fand gut, jetzt schnell mal nach der Fliege im Eisschrank zu schauen. Einmal muß Schluß sein, sagte sie laut zu allen, denen es nichts ausmachte.

DAS ANTARKTIS-PROJEKT

Gestern haben Sie aber einen sehr engagierten Eindruck gemacht, Sie waren doch aufgewühlt und alles und Sie erklärten sich gestern noch bereit . . .

Gestern gestern gestern, unterbrach Flora den jungen Mann von der örtlichen Sektion der PLANETEN-SOS. Gestern war gestern. Heute ist heute.

Voller Ungeduld überblickte sie den Burschen mit der ungünstigen Frisur. Gestern war es ihr nur ein wenig peinlich gewesen, daß Olga ausrief: Sie haben ja einen Mozartzopf! Wozu sie überflüssigerweise in die Hände klatschte. Ich will nicht eine liebe Alte sein, dachte Flora. Ich will nicht, wenn ich schon derartig alt sein muß, auch noch drollig und herzensgut sein. Das ist kein Mozartzopf, es ist nicht geflochten, Olga, hatte sie gesagt, aber erst heute machte es ihr etwas aus.

Der junge Bursche wurde diesmal nicht ins Haus gebeten, er drang nicht weiter vor als bis in die hölzerne Veranda am Hintereingang.

Die Menschheit rennt in ihr Unglück, sagte er so lahm, daß von seiner Warnung etwas vollkommen Unbedeutendes ausging. Er verstand es, einen Gegensatz hervortreten zu lassen. Langsames Warnen vor einer rennenden Menschheit. Das Unglück erschien Flora nicht mehr als diese finstere Zielgerade, wie gestern, während sie und Olga dem ab und zu Kuchen schluckenden Burschen zugehört hatten – er berichtete von den Anstrengungen seiner Gruppe, den internationalen Querverbindungen zu gesinnungsähnlichen Widerstandsbewegungen, bald schon global würde sich dieses Veto gegen die politische Macht gleichzeitig mit dem Erhaltungskampf um die Naturwunder Mensch, Pflanze, Tier über den gesamten Erdball ziehen – oh ja: oh ja, gestern hatten Olga und sie ihn ins Wohnzimmer gebeten; und weil der Teetisch gedeckt war, die Stimmung zutunlich, zierte man sich nicht weiter und lud ihn ein in diesem Menschenklima von 29 Grad Celsius im Schatten. Während der Hitzewelle galten andere Gesetze. Gäste kamen selten, andere Menschen sah man höchstens frühmorgens oder dann erst wieder am Abend, wenn sie ein wenig Luft zu schöpfen versuchten. Die kriegsrechtähnliche Situation, der Ausnahmezustand, Ausgangssperre: Flora wußte aber heute morgen, daß ihr Gesinnungswandel damit nicht zusammenhing. Bis jetzt, zehn Uhr vormittags, wehte noch ein frischeres Windchen. Doch im Sonnenlicht ließ sie den Burschen schwitzen.

Was für einen winzigen, in winzigen Jeans zusammengepreßten Hintern er hatte. Zu stark beleuchtet sah sein hellblondes Haar wie ein zerschlissener Filz aus. Zwischen ihm in dieser Holzveranda, zwischen ihm, ihr selber und Olga an diesem Morgen des vierzehnten Juli um zehn Uhr und dem Unglück lag überhaupt keine Entfernung. Es trennte sie alle nichts, keineswegs diese Rennstrecke von der die Rede war, vom Unglück. Sie standen mitten darin, wie im Sonnenlicht. Das so verflucht unbehindert von heute an auf sie fiel. Oh, der Schock saß Flora noch in allen alten Knochen. Im Kopf. Im Rumpf. Mein Herz! Mein Blutdruck! Ich werde, verdammt noch mal, nicht ein liebes treuherziges idealistisch-zutrauliches Altchen sein! Mit dem Nußbaum war dem Garten nicht nur Schatten, ein bestimmter Anblick, eine Lichtmaserung, und der Veranda nicht nur der Grünschimmer genommen worden; ohne den Nußbaum erlitt das ganze Geviert bis hin zur Küche einen Charakterverlust. Sein Wesen war dahin. Das Grundstück, amputiert. Das Gartengemälde verkorkst.

Als hätte sich ein Fälscher am Monet versucht. Flora liebte Impressionisten, vor allem Gartenmotive.

Daß ich nicht lache, sagte sie jetzt, nachdem Olga in ihrer beschwichtigenden Art dem jungen Mann erklärt hatte: Das ist, weil meine Schwester Flora sowieso christlich denkt, also, sie glaubt wahrscheinlich an Gott, nicht wahr? Drum will sie da lieber nicht mitmachen, oder wie, Flora?

Olga schien Apéritifs zu servieren, hin und her vermittelnd, wie sie so für den SOS-Planetarier und ihrer gramvoll grimmig dreinschauenden Schwester ein Verständigungsangebot machte.

Das könnte der Grund sein, könnte es nicht . . . daß du dich nicht so ereiferst, wegen der Religion?

Olga wandte sich wieder dem jungen Mann zu:

Sie scheut sich vermutlich, drüber zu reden. Über göttliche Allmacht und all das, in unserer Familie war man immer diskret, in Glaubenssachen.

Bei uns macht jede weltanschauliche Ausrichtung mit, sagte der junge Mann. Wir sind sowieso überkonfessionell. Und gestern haben Sie sich doch für unsere Sache begeistert. Trotz Gott und dergleichen. Wenigstens die Antarktis müssen wir sauber halten.

Ist ja auch lächerlich, was meine Schwester da erzählt, rief Flora. Schluß, aus, vorbei! Mir kann die Menschheit gestohlen bleiben!

Aber Flora!

Olga schauderte, sie sah geradezu töricht aus vor Schrekken und Verlegenheit. Genau so, mit diesem Ausdruck von Entsetzen und Gebanntsein, fixierte sie im Keller die Mausefalle samt Opfer. Und doch war sie es, die umsichtig Käsebrocken oder Speckstückchen unterm Fallbeil anrichtete, andächtig und eine Vorfreude widerspiegelnd, als würde sie Geburtstagsgeschenke einwickeln.

Der Nußbaumschlächter da drüben, fragen Sie doch bei dem nach, sagte Flora.

Erschrick doch diesen jungen Menschen nicht, mahnte Olga. Dann lachte sie, in friedenstiftender Absicht. Heißt es überhaupt richtig so: Erschrick? Erschrecke? Sie lachte wieder. Verstehen Sie bitte meine Schwester nicht falsch, aber es war ein wundervoller alter Baum, vielmehr, der Baum selber steht eigentlich noch, ich meine, der Stamm ...

Und er wird stehenbleiben, drohte Flora. Auf einmal paßte es ihr, daß Olgas *junger Mensch* in diesem ungünstigen Moment bei ihnen aufgetaucht war. In seiner Anwesenheit würde Olga es nicht riskieren, sich nochmals zum Anwalt der Vernunft oder wie sie das nannte zu machen. Einer wie der von der PLANETEN-SOS wäre ganz bestimmt gegen das Fällen von Bäumen. Selbst von geköpften Bäumen. Er müßte dagegen sein. Floras einzige Möglichkeit einer Gegenwehr bestand im trotzigen Beharren auf dem Torso des Nußbaums. Dieser Rest einer Rache.

Sie meinen den Nachbarn zur Rechten?

Der junge Mann drehte sich um. Sein langes faseriges helles Haar war in ein Gummiband gestopft und lag schlaff auf dem Hemdrücken. Alles an ihm machte einen ermatteten Eindruck.

Ja, diesen Nachbarn, den Herrn Krell, sagte Olga eifrig. Flora, Liebe, warum gehen wir nicht hinein und setzen uns hin. Es macht mich so müde, hier in der Sonne zu stehen. Mehr Sonne werden wir haben, auch in den übrigen Jahreszeiten, aber jetzt ist es ungewöhnlich für Wickenbach, nicht wahr, mehr Sonne werden wir haben, nun wo die Baumkrone weg ist, und es wird nicht übel sein, besonders im Winter.

Das ist ja alles lächerlich, sagte Flora laut und streng. Im Winter ist der Baum sowieso kahl gewesen. Ihr könnt mir alle im Mondschein begegnen.

Sie konnte es nicht verhindern, daß hinter Olgas gemütlichen kleinräumigen Schritten her der junge Mann in seinen
Holzpantinen ins Hausinnere ging.

Sehen Sie, der Protest hebt den Unterschied zwischen den
Generationen auf. So ungefähr hatte er gestern nachmittag
für seine Sache geworben. Wir haben das vielfach beobachtet. Alte und Junge, wie ohne kommunikationsfeindliche
Schranken, in gemeinsamem Anliegen finden sie eine gemeinsame Sprache, urplötzlich. Protest verjüngt, ehrlich!

Ha! Dann müßte ich kindisch sein vor lauter Jugendlich-
keit, jünger als ihr alle miteinander, ich bestehe ja nur aus
Protest, ich bin die verkörperte Wut. Flora hätte das gern
hinter ihrer Schwester und dem jungen Mann hergerufen.
Doch hinderte sie daran eine Empfindung, die ebenfalls
weit bis in ihre Kindheit zurück reichte, genau so tief und
fest darin wurzelte wie der Nußbaum und jetzt die Panik
vor dem Nachbarn. Das Vergebliche! Olga und der Anfänger da von einem Menschen gingen ausschließlich dann
in den Widerstand, wenn der Gegner nicht namenlos war,
erstens. Und zweitens bedurften sie des Schutzschilds
einer Gruppierung. Und diese Gruppierung mußte einen
Titel haben. Floras unorganisierte Rebellionen verursach-
te ihnen Unbehagen.

Warum bieten wir ihm nicht von unserer köstlichen roten
Grütze an, Flora? Von dem, was davon übrig ist. Olga
trappelte schon zur Küche hinüber. Es wäre doch für zwei
zu wenig und für einen zu viel, ich meine, für einen von
uns beiden alten Frauen. Ein junger Mensch wie Sie
verschlingt so eine Portion wie nichts!

Der Herr Krell, Ihr Nachbar, der hat aber bereits gespendet, sagte der PLANETEN-Dienstbote zu Flora, die sich nun
ebenfalls hinsetzte, aber aus Erschöpfung.

Er ist ein ekelhafter Baumkiller, und er kann mir über den
Buckel rutschen, erwiderte sie.

Olga, die mit dem Grütze-Topf und einem Napf Vanille-sauce zurückkehrte, rief vergnügt, denn es schien sich eine menschliche Situation breitzumachen, und sie liebte Ver-söhnungen:

Es heißt aber: Den Buckel RUNTER rutschen, Schwester-herz! Ach, junger Mann, daran erkennen Sie nur, wie fremd zwei alten Krüstchen wie meiner Schwester und mir diese heutige Welt der Gossensprache ist!

Gossensprache? Alte Krüstchen? Olga benahm sich em-pörend, kindisch auf die nicht vom Zeitgeist genehmigte Weise. Der Eindringling würde noch anregen, daß Flora und Olga in ein Altenheim übersiedeln müßten, wenn das Theater hier weiter andauerte.

Und Bäume, andere Bäume, die liebt Herr Krell doch durchaus.

Ja ja, der Krellsche Garten ist gut bestellt.

Man kann andererseits verstehen, daß Flora sich erregt hat. Dort drüben war ihr Lieblingsplatz. Dort im Schat-ten, oder besser: im ehemaligen Schatten. Die meisten Äste waren zwar zum Nachbargrundstück rübergewach-sen, aber von Westen her hat das viele Laub völlig abgeschirmt. Doch, es war schön. Man kann's begreifen, daß sie sich noch nicht ganz von diesem Schrecken erholt hat.

Oh gewiß, kann man gut.

Es schien absolut gleichgültig, womit der junge Mann sich verköstigte. Flora sah fast erschüttert hin, er aß so einför-mig, als besäße er ein angestammtes, aber lustlos wahrge-nommenes Anrecht, löffelweise regelmäßig ihre Zauber-speise, dieses Ideal einer gemischten roten Grütze, diese Gaumenbetörung zu sich zu nehmen. Übrigens nicht geräuschlos. Mit der Vanillesauce ergab sich bei jedem Bissen ein Problem. Jedesmal hakte die Zunge des Men-schenfreunds und Planetenpflegers nach, schlapperte

Tropfen hinterher. Flora atmete tief aus und ein. Für Ruhe sorgen! Abstand gewinnen! Die beiden unterhielten sich. Es hörte sich wie ein Duo auf zwei verstimmten Instrumenten an, sie spielten nichts als falsche Terzen. Nur durch sie, Flora, würde in dieses erbärmlich unstrukturierte Konzert der Vorhalt eingebracht, der schöne vertrackte Zweifelsanklang, wie durch das unerwartete Cis im vorletzten Takt von MÜDE BIN ICH GEH ZUR RUH. Das Cis genau unter DEIN. »Vater laß die Augen dein/Über meinem Bettchen sein.«

Schmeckt's? Ist doch einfach köstlich, oder?

Allerdings.

Welch sture Bestätigung, wo es um die reinste Verwöhnung von Zungennerven ging. Flora nahm mit ihren um Mäßigung ringenden Atemzüge ihren eigenen Sommerkörpergeruch auf. Trotz der Strümpfe, die sie anhatte – denn sie verabscheute die bloßgestellten Naturereignisse, weißlich ermüdetes und von Venen wie von Flußläufen gemasertes Fleisch. Frauen ihres Alters liefen heutzutage so herum, frohgemut, oh verallgemeinernde Ära der vorgetäuschten Ungezwungenheiten. Trotz der Strümpfe rochen Floras Fußzehenzwischenräume stark, zumindest bis zu ihrer Nase herauf, und Flora verheimlichte noch immer ein bißchen vor sich selber, daß sie diesen Dunst genoß.

Und wir haben ringsum gutnachbarliche Beziehungen, wirklich, schwatzte Olga. Es macht Spaß, jemanden zu bewirten, stimmt's, Flora?

Was meinst du damit, fragte Flora.

Nun, ihn zu bewirten, macht Spaß. Aber wir sind auch sonst nicht ungastlich. Haben im ganzen Umkreis beste Nachbarschaften.

Die Keimzelle unserer Initiativen, dozierte der junge Mann. Er gab nicht auf, den Löffel wie bei einer Töpferarbeit in ausgeklügelten Bahnen durchs Topfinnere zu ziehen. Spuren von roter Grütze hafteten am Löffelrand, nach jeweils einer Runde. Die Zunge des jungen Mannes ähnelte, obwohl sie nicht gelblich war und aus anderem Material, seinem Haarschwanz.

Jo-Him war das, sagte Olga.

Wie bitte?

Grütze aus Johannisbeeren und Himbeeren, erklärte Olga. Die Mischung eignet sich am allerbesten. Und Sago benutzen wir nie.

Was hast du gegen Kirschgrütze, sagte Flora.

Oh wie goldig! Olga applaudierte schon wieder. Erster Stimmungsumschwung, meine Liebe! Du verwindest es, es fängt schon an damit, sie kommt drüber weg. Ein Baum ist ein Baum, gewiß . . .

Red doch keinen Quatsch, sagte Flora.

Sie hebt drauf ab, daß es nicht länger angeht, sich an privaten engen Horizonten und so weiter, ich meine, wir müssen aufs Ganze gehen, wir müssen die großen Zusammenhänge in den Griff kriegen.

Der junge Mann redete gemächlich und änderte die Taktik mit Topf und Löffel, ging zu einem Schaben über.

Es ist längst nichts mehr drin, sagte Flora.

Oh wirklich, wir kommen mit ihnen allen gut aus, im ganzen Quartier.

Prima, lobte der Bursche.

Wie heißen Sie eigentlich, fragte Olga, und nur Flora konnte die Höhe der Geduld ermessen, in die Olga sich gekämpft hatte.

Conni, antwortete er.

Wie hübsch! Olga ruckelte sich auf ihrem Polster neu zusammen und wirkte begeistert. Conni! Aber heißen nicht auch Mädchen manchmal so?

Ist ein Kürzel, sagte er ohne Antrieb.

Ein Kürzel, oh ja! rief Olga.

Flora bekam plötzlich beim Blick auf ihre Schwester mit dem lieben geröteten Gesicht einen Mitleidsanfall. Jede von uns überanstrengt sich, und zwar für nichts und wieder nichts. Sie muß, mit Überanstrengung, meine überanstrengte Unfreundlichkeit ausgleichen. Armes Ding, schlecht für ihren Blutdruck. Und der Conni ist gut dran. Die mit den größeren Objekten für ihre Aufsichtspflicht sind immer am besten dran. Ich hätte auch lieber gleich um den gesamten Planeten Erde Kummer, und nicht um dieses gutartige bedrohte Einzelteilchen hier, mein Olgachen. Oh, schöne lockende eiseskalte Antarktis: gestern noch wollte ich für dich durchs eiskalte Feuer gehen! Kleine Olga, du mein lieber dummer unerforschter Südpol du, du Dritte Welt, du Nußbaum nach der Enthauptung! Flora bekam eine rauhe Kehle.

Die Wickenbacher sind sowieso ganz prima, die halten zusammen. Jetzt, wo es um die Ausbeutung der Antarktis geht, macht ein Haufen neuer Leute bei uns mit, berichtete Conni.

Wir auch, beteuerte Olga. Ich meine, wir sind heute nicht so gut in Form, Sie verstehen das, Conni, der Schock mit dem Baum . . .

Klar, sagte Conni. Aber ich will noch mal betonen, daß wir keine Zeit verlieren können, das können wir uns ganz bestimmt nicht leisten.

Fünf vor zwölf, oder wie man da sagt, plapperte Olga.

Das stimmt doch alles gar nicht, mischte Flora sich nun ein. Die beiden trieben ohne Glück und ordentlichen Schwimmstil im Fahrwasser einer reichlich vermessenen, albernen Hymne auf die kleine Kreisstadt Wickenbach. Wickenbach und die Antarktis schienen im Begriff, eine unerwartete, für die Welt sensationelle Verschwisterung einzugehen. Wickenbach hat schon mit Reading und De Veen Jumelage gefeiert, und auf die französische Stadt in der Ardèche komme ich jetzt nicht. Olga redete schnell, voll Sorge um die liedhafte Harmonie. Flora, sei ein bißchen guten Willens, bitte! Du brauchst doch nur aus diesem Fenster zu sehen und schon zeigt sich, es ist nicht alles verloren! Noch genug Grün und Laub übrig.

Mußten vermutlich mehr Sonnenenergie reinkriegen, in ihr Grundstück, die Krells, sagte Conni.

Gewiß gewiß, das ist's: Sonnenenergie. Olga klatschte mit ihrer dicken kurzen Hand auf den Blümchenkleiderstoff am rechten Knie. Seit ihrer Kindheit hielt sie an der Angewohnheit fest, die Beine nicht geschickt genug über-einanderzuschlagen. Flora genierte sich manchmal an Ol-gas Statt.

Allzu grün, knurrte sie. Scheußliches Giftgrün haben diese ekelhaften Florleichentücher gegen die Vögel.

Aber Flora! rief Olga. Sie erklärte: Sie ist ein bißchen drastisch, Conni, manchmal.

Alles klar, sagte Conni, dessen Erschöpfung zunahm. Er sah mißmutig vor sich hin, was vermutlich mit der betrüb-lichen Tatsache zusammenhing, daß dem Töpfchen kein Milligramm Grütze mehr abzukratzen wäre.

Alles klar, mir auch, rief Flora und sprang fast, beim Aufstehen.

Jedenfalls sympathisiere ich mit allen diesen Leuten nicht auf diese Weise . . . ich will sagen . . .

Was möchtest du sagen, Liebchen?

Auch Olga war aufgestanden. Conni saß noch, aber immerhin startbereit, die Handteller auf die Sessellehnen gedrückt.

Die Erhaltung der Menschheit ist mir keinen roten Heller wert, das ist's, was ich sagen wollte, und ich bleibe dabei.

Sie meint es nicht so. Wirklich nicht.

Nein, ganz so meinte sie es vermutlich nicht, aber so ungefähr meinte sie es schon. Menschen wie die Nachbarn, Feinde der Amseln und der schattenwerfenden alten Baumverzweigungen, waren Menschenfeinde. Diese Menschen waren bedingungslos dafür, daß es auf dem Planeten Erde so weiterginge, mit Pflanzen, Vergiften, Zersägen, Zerhacken, Ernten, Sonnenbaden, ein endloser gieriger Lebenskrawall. Und die Antarktis, was war mit der? War sie nicht gestern noch von der Antarktis ganz verzaubert gewesen? Daß man die wenigstens freihalten könne, wovon denn? Von diesen Gartenfreunden. Ach, sie fing an, dummes Zeug zu denken. Olga war schuld. In der Gegenstrategie zerschliß sie sich, nicht mehr lang, und sie würde richtig verblöden.

Conni, es wird Zeit für uns alle, wir müssen leider dieses aufklärerische Rendezvous abbrechen.

Flora beglückwünschte sich zu ihrer Bissigkeit. Bloß kein liebes gutes altes Frauchen werden! Niemals!

Wie gesagt, gespendet hat er, Ihr Nachbar, in Sachen Antarktis, und er baut übrigens biologisch an, tut ihm sicher leid, die Vorsichtsmaßnahme gegen die Vögel, aber schließlich, wozu baut er alles an, macht sich die Mühe.

Conni mußte gleichzeitig gähnen und aufstoßen.

Alles klar, um es in Ihren eigenen Worten zu sagen. Es ging mir um das Wort: Antarktis. Flora wirkte hoheitsvoll auf sich selber. Also, Bye bye, Conni, tut uns leid.

Vielleicht nehmen wir stattdessen die Arktis, eines Tages, wenn es irgendwann um die Arktis geht, tröstete Olga.

Bis zum letzten Moment störte es Flora, wie ihre Schwester den Burschen umwarb. Wir sind's, die man bedauern müßte! Sie rief ihrer Schwester zu:

Du wirst nie spüren, wer wirklich die Opfer sind! Wir sind es, immer wir. Von Kindesbeinen an, es war alles Folterung. Einzelhaft und Folterqual. So war es. Von »Pfarrerskinder, Müller's Küh« an.

Müllers VIEH, Flora, verbesserte Olga. Aber was meinst

du bloß? Wir hatten es doch gut. Waren eine liebevolle Familie.

Eben drum, sagte Flora und blieb auch sich selber eine Spur rätselhaft, vorerst. Aber abends wußte sie es wieder ganz genau. Sie erfuhr es ja, warum gerade das Liebevolle, einer Aussätzigkeit gleich, sie und Olga und früher die Familie von der übrigen und bedrohten Menschheit absonderte. Nachdem sie vor zwei Stunden ziemlich scharf erklärt hatte, dort am Sitzplatz, wo es kahl und absolut häßlich geworden sei, eine Ödnis des bösen Willens herrsche da, dort nehme sie unter gar keinen Umständen Platz, und sie war erbarmungslos geblieben, ja doch, räum das Geschirr nur wieder weg, wenigstens das meine, du selber kannst natürlich tun und lassen was du willst ... nachdem sie so konsequent der Schwester demonstriert hatte, wie weit ihr Entsetzen über den gemordeten Baum ging und welche Gewohnheitsänderungen sich daraus ergaben, war sie vor dem Fernsehapparat ein bißchen eingedöst. Nun wurde sie ganz wach. Wo steckte denn Olga? Zeit, das Programm zu bereden, Zeit für die Nachrichten. Trotzig, kindsköpfig eben, das konnte sie auch immer noch sein, oh lange Strecke Kindheit!

Auf ihrem Bett hatte Olga sich ausgestreckt. Sie verdeckte schnell ihr Gesicht hinter Buchdeckeln.

Was liest du denn Schönes? fragte Flora. Ihr Herz schien ganz oben in den Drüsen unter den Kinnladen zu klopfen. Puh, machte sie. Heiß hier drin. Sie ahnte etwas.

Und Olga hielt ihr nur die Rückseite des aufgeschlagenen Buchs hin. Was bewies, daß sie zur Zeit nicht sprechen konnte.

Ah, mal wieder der getreue Fontane. Was dir der Fontane, ist mir der Monet.

Flora fand sich ganz geschwätzig. Sie war aufgeregt. Oh, sie ahnte es.

Kindheitserinnerungen. Ich sollte endlich auch mal dran gehen. Und das da, das leihe ich mir gleich mal aus, ich darf doch?

Olga ruckte ein JA mit dem Buch. Flora nahm das Kinderbuch KEINES ZU KLEIN HELFER ZU SEIN in die Hand. Es war das zerlesene Exemplar aus ihrem einstigen Spielzimmer. Jetzt fragte sie aber endlich doch: Hast du geweint?

Ja, das hatte sie, und wie sehr, und sie gab es zu, mit ganzem Aufprall.

Ich hab es unterdrückt, Flora, nur unterdrückt, damit du es nicht so tragisch fändest. Aber ich schaff's nicht, es sieht derartig scheußlich jetzt im Garten aus. Olga schluchzte. Es hörte sich so ernst und so zum Lachen an. Babyweinen war so erschütternd. Und schon in der Veranda. Alles ist hin. Es sieht auch in der Veranda nicht zum Aushalten gräßlich aus.

Wie merkwürdig, wie außerordentlich sonderbar, daß Flora sich überhaupt nicht überwinden mußte, daß sie ganz und gar nicht log, als sie Olga nun zusicherte:

Es ist nicht so schlimm. Es ist längst nicht so schlimm, wie wir fürchten. Keine Angst, komm, faß dich wieder. Ich finde, es hat sogar was für sich. Wir sind einen Schritt weiter, Olgachen, einen richtigen Schritt weiter sind wir gekommen.

Das mit dem Schritt, nach vorne, und weiter, das verstand Flora selber noch nicht, aber auf dem Weg war sie schon.

Sixtus Ruch bog jedesmal wieder gern in die Hauptstraße seines Heimatstädtchens ein. Auf seinem täglichen Weg zur Arbeit wußte er sich von Respekt und leichter Eifersucht beobachtet, was dazu führte, daß er sich behaglich im Fahrersitz zurechtrückte. Auch sein Fahrzeug befriedigte ihn. Es war in Ordnung, Mittelklasse, aber mit sämtlichen verfügbaren Ergänzungen zum Komfort hin ausstaffiert. Darauf, wo überall in der per Auto erreichbaren weiten Welt Sixtus schon gewesen war, machten diverse Plaketten am Fahrzeugheck aufmerksam. Seit zwei Jahren verreiste Sixtus gar nicht mehr, und er fürchtete sich ein wenig davor, auf die Bequemlichkeit, zu Haus zu bleiben, kaum noch einmal verzichten zu können. Im Rückspiegel vergewisserte er sich seiner Fahrspur und sah dabei kurz in sein sowieso bekümmertes Gesicht. Diese Stirnfalten, vier horizontal verlaufende Furchen, verhalfen ihm zu einem grüblerischen Ausdruck, und manche Leute schätzten Sixtus Ruchs Lebensalter höher ein als 54, diese alles in allem noch nicht zu schwerwiegende Summe seiner Jahre. Seine Gesichtsfarbe aber bezeuge Vitalität, fand Sixtus, sie war rosig, gut durchblutet war er, wie jeder sah, der von solchen Sachen etwas verstand. Und nach grauen Haaren müßte einer schon mit viel Geduld suchen. Alles noch bräunlich. Bräunlich wie dieser frühe Märztag, dachte Sixtus.

Selbstverständlich erging es ihm wie jedermann, und an einem Montag lag die Arbeitswoche belastend vor Sixtus Ruch, obwohl er sich mit seinem Beruf im Einklang befand. Stückweise freute man sich – Dienst hin, Privatsphäre her: ein Lohnabhängiger blieb man – auf das wieder einmal weit entfernte nächste Wochenende mit seinen paar Abwechslungen und Angewohnheiten. So portioniert, so eßlöffelweise nahmen er und die Leute, die er kannte, das Leben zu sich.

Aha, der Karl-Heinz Schieber, der gute Kalle, da vorne an der Kreuzung ordnete der sich mit seiner neuen Errungenschaft, einem Mazda, in den Morgenverkehr ein, natürlich ohne Zeichen zu geben; natürlich war der Mazda ein schönes Auto, doch hatte der Freund es auch an diesem Wochenende wieder nicht geschafft, ihm die richtige Pflege angedeihen zu lassen. »Komm lieber Rost und mache/Das Auto bald zu Schrott«, summte Sixtus Ruch. Einem wie ihm lag das Pflegen. Stolz fuhr er an Schieber und allen, die ihn sonst womöglich noch bespitzelten, vorbei und aus seiner Kleinstadt hinaus auf den Zubringer zur Autobahn. Er wußte, wie sie – eine Menge Leute mittlerweile – ihm hinterherbibberten, und mußte nun lachen. Von freischaffenden Masseuren wimmelte es ja längst. In seinem Ort fürchteten sie allesamt, Sixtus würde sich plötzlich doch selbständig machen und ortsfest niederlassen und ihnen damit das Wasser abgraben. Ihr bißchen Kundschaft wäre dann verloren. Viel ließ er ihnen ja jetzt schon nicht, er mit seinen überregional gelobten Griffen und seiner achtunggebietenden Anstellung in einer großstädtischen Klinik. Ja, die glorreichen Griffe des Sixtus Ruch! Ehrenamtlich, unhonoriert kamen sie einigen Einwohnern des Heimatortes zugute. Wenn andere bereits ihren Feierabend vertrödelten, schikanierte Sixtus noch seinen berufsbedingten Rundrücken, beugte sich über kränkelnde Klientel, für nichts als Dankbarkeit. Demnächst aber gäbe er das ortsansässige Fußballteam auf. Gutmütigkeit kann auch zu weit gehen. Sixtus witterte ungern den Dunst des Ausgenutztwerdens und lagerte schon passende Androhungen für den Vorstand des Fußballteams im Hirn. Er hatte manchmal wirklich Angst vor seiner eigenen Güte. Vielleicht war es deshalb auch in seinem Leben noch zu keiner Eheschließung gekommen. Weniger weil er beruflich ganz hübsch florierte, hätte er Frauen verdächtigt, ihn kassieren zu wollen. Er war eine ehrliche Haut. Also mußte er vor sich selber zugeben, in welch hohem Maß seine Anhänglichkeit an den Alkohol den Hang zum Einzelgängertum unterstütze. Beim Alleinleben entsprang dieser Anhänglichkeit ans Trinken – nie vor 17 Uhr 30 – nur Günstiges. Jeder hinzukommende Mensch aber brachte Sixtus Ruchs Kontrollsystem durcheinander, was so lang nichts ausmachte, wie es Einzelfall, Zufall, Ausnahme von der Regel blieb. Als Dauereinrichtung jedoch wünschte Sixtus sich die anstrengende und seine Magenschleimhaut angreifende Gesellschaft beim Trinken nicht. Gern nahm er von Zeit zu Zeit kranke, alkoholvergiftete Tage hin, denn er brauchte seinen Rausch, dann und wann war Sixtus reif für einen Exzeß. Vor 12 Jahren hatte er eine Art Probeleben mit einer Frau zusammen geführt, eheähnlich, wozu er heute zu Bekannten sagte: Nach acht Monaten war ich kurz vor der Klapsmühle. Noch immer bezichtigte er im Innern die Frau, niemals sich selber. Jeder andere Mensch brachte Sixtus dazu, eine Rolle zu spielen. Ausgenommen die Patienten, denen gegenüber blieb er obenauf. Sie lagen unter ihm und auf dem Bauch. Er gab ihnen sein Bestes. Heimlich tat er da beim Massieren wirklich nichts, und doch behielt sein Schaffen etwas Geheimes, etwas, das nicht sichtbar wurde.

Sixtus pfiff mittlerweile dieses Mailiedchen, er drehte die Lüftungsklappen im Armaturenbrett auf OFFEN. Witterungen! Ja, die hatte er. Feindseligkeiten, fremde Absichten: er bekam alles mit. Auf der ganzen Strecke sah man noch nirgendwo Anzeichen für den Frühling, aber Sixtus hatte ihn schon in der Nase. Für andere Verkehrsteilnehmer mochten die Bäume noch wie tot aussehen, so als wäre nie wieder irgendwas von ihnen zu erwarten; Sixtus jedoch bildete sich nicht nur ein, sondern nahm wahr, daß bereits ein Grünschimmer, beinah nur ein Dunst von grünlicher Helligkeit, diese armseligen Stöckchen und Besen umlauerte.

Das beste Erlebnis täglich machte er beim Eintritt in seine Unterwelt mit, wo er die Massagepatienten behandelte. Herzlich liebte Sixtus den süßen medizinischen Geruch gleich jenseits der Tür zu seinem Reich. Das Schild der Abteilung hatte Sixtus selber gestaltet. Das waren seine Druckbuchstaben: PHYSIKALISCHE THERAPIE. Tag für Tag fühlte er sich hier willkommen geheißen, von den Dünsten und einfach vom Klima her, das immer warm war und fremde Menschen zum Ausziehen verführte. Sixtus dachte überhaupt nicht daran, seinen Arbeitsplatz im JOSEPHINEN-HOSPITAL aufzugeben – und er dachte ebensowenig daran, sein kostbares Geheim-Einverständnis auszuplaudern.

Nach den üblichen Grußworten an die Adresse seiner Berufskollegen – wie nicht anders zu erwarten verspätete sich der ägyptische Masseur, aber die Mädchen, eine Masseuse und drei Heilgymnastinnen, hatten schon die weißen Kittel an – übernahm Sixtus Ruch das Kommando. Er schlug sein Arbeitsprogrammbüchlein auf, teilte ein, öffnete Plastikvorhänge und schaute in allen acht Behandlungskabinen nach, ob die Anzahl der Decken und Laken stimmte. Ganz in Weiß gekleidet bis hinunter zu den Sandalen, deren weißes Oberleder perforiert war, spürte Sixtus wie jedesmal nach dieser Farbumwandlung eine Erhobenheit. Er fühlte sich von nun an bis zum Ablegen der Dienstkleidung bedeutender und, merkwürdigerweise, klüger. Ja, ganz richtig: die weißen Sachen verhalfen ihm zu einem Gescheitsein, das er nicht ganz verstand, wie eine Verpflichtung bearbeitete ihn dieses Gescheitsein. Ihm kam es so vor, als wäre sein ganzer Körper nun zum Denken in der Lage. Niemals vermittelte ihm seine Privatkleidung einen derartigen Eindruck.

Zehn Uhr dreißig: Frau Bamberg, las Sixtus Ruch. Bis dahin würde er seine Klientel feurig und mit Lust bedienen. Sonderbar, wie ihn die Vorfreude auf Frau Bamberg innerlich auffüllte. Handelte es sich um Vorfreude? Sixtus hielt sich einiges darauf zugute, daß er zwischen seinen Patienten keinerlei Unterschiede machte. Allen widmete er die gleiche Sorgfalt. Auf Frau Bambergs Flachrücken war er auch nicht neugierig. Es war die Frage, ob sie schon wieder am frühen Morgen etwas Alkoholisches getrunken hätte, die ihn in Spannung versetzte. Seit Sixtus Frau Bamberg massierte, fiel ihm die Langweiligkeit eines Arbeitstags auf, und zwar, so bald sie sich erhitzt und hastig für anderthalb Tage wieder davonmachte: wer weiß wohin? Mit sechs kassenärztlichen Verordnungen für klassische Ganzmassage hatte diese Beziehung angefangen. Sixtus war der knauserig bemessenen Kürze sogleich mit Skepsis begegnet. Seine Sorgenmiene stand ihm ohnehin zur Verfügung und Frau Bamberg gegenüber bei. Sie beklagte sich über stichflammenartige Schmerzaugenblikke. Genauere Angaben konnte sie nicht machen. Die Stiche zuckten aus dem Hinterhalt auf. Sie hinterließen Ängstlichkeit und keine exakteren Erinnerungen. Weil nach weiteren sechs Dienstleistungen, wenn Frau Bamberg nicht darauf gefaßt war, die Stiche sie aufschreckten, erschien sie im JOSEPHINEN-HOSPITAL nun als Selbstzahlerin.

Ich kann mir gut vorstellen, daß die Massage mir alles in allem gut tut, hatte sie gesagt, obwohl ich es noch nicht merke, und vergessen wir einfach mal diese Stiche.

Sixtus Ruchs Ehrgeiz jedoch ließ ihn nicht ruhen. An den Abenden mit Alkoholrausch ging er sogar so weit, ein neues Lebensziel anzupeilen. Er plante ein Buch, so etwas wie eine Fibel für Masseure. Ein ABC gewissermaßen. Unter A hatte er noch nichts gesammelt, aber B begann mit dem Symptom BAMBERGER STICHE. Mit Rausch schrieb es sich daran ganz flott. Und an einem Tag mit völlig klarem Kopf hatte Sixtus sich dabei ertappt, daß er im MEDIZINI-SCHEN WÖRTERBUCH blätterte – er tat das öfter einmal, wenn er auf Station 3 im Zimmer der Oberschwester warten mußte – und unter B nach BAMBERGER STICHEN suchte: wie tief er demnach schon in die Körperwelt dieser Frau eingetaucht war! Wie brachte sie sich wohl durch den weiteren Tagesverlauf, mit ihrer Schnapsfahne, wenn sie eine Spur theatralisch und zerzaust das warme Reich des Sixtus Ruch verließ? Stolz auf seine eigene 17 Uhr 30-Abmachung mit dem ersten Glas wusch sich Sixtus sehr besinnlich seine eingeölten Hände bis hinauf zu den Ellenbogen, und dann merkte er erst recht, wie sein gesamter Körper – von weißer Kleidung zur Klugheit befördert – nachdachte ... geradezu dampfte vom Denken ...

Sonst erst ab elf Uhr, aber an Vormittagen mit Massage schon um dreiviertel zehn, trank Sybille Bamberg ihr kleines Quantum Paddy-Kornschnaps, mit dem sie bis gegen dreizehn Uhr, beim zweiten Angang, gut auskam. In ihren eigenen Augen handelte es sich bei ihrem derzeiti-gen Leben um eine Übergangsphase, und sie hielt die für vernünftig gegliedert. Die Agentur THALIA verwaltete zusammen mit einem Päckchen ziemlich veralteter Photos ihren Namen, ihr Rollenfach und ein Bündel Kritiken. Es

war spannend, das Telephon anzuschauen. Kleiner Brüll-
affe, du, kannst jederzeit loslegen, sagte Sybille zum
stummen dummen beigen Apparat. Sie sehnte sich nach
dem Moment des Aufraffens, nach Arbeit, wie nach neuer
Luft zum Atmen. Manchmal wußte sie allerdings nicht
sicher, ob dieser Wunsch ihr persönlicher war. Vieles
vertauschte man als Schauspielerin mit den Rollen, in
denen man sich asyliert hatte. Sybille Bamberg sah sich
noch immer lieber als Irina in Čechovs DREI SCHWESTERN,
lieber als Irina ja. Aber zuletzt hatte sie, einfach durch
Älterwerden, die Olga gespielt. Olga sehnte sich nicht
nach Arbeit, sie hatte welche. Irina jedoch! Welches
Bedürfnis, sich zu betätigen, der Welt von morgen eine
vorstufenmäßige Mitwirkung zu offerieren!
Jetzt aber mache ich eine Pause, sagte sie zu sich selber.
Selbstgespräche waren auch eine Marotte dieses Lebensab-
schnitts, genannt Pause, Übergangsphase. Wartezeit. Sie
würde ihre Haare neu blondieren, wenn es so weit wäre.
Schlank und rank, nannte sie sich mit den Worten des
Masseurs Sixtus Ruch, der – ebenfalls in seinen Worten –
ihr Jahrgang war. Alles klar, äffte sie ihn nun nach. Immer
mit der Ruhe, nicht so eilig, ich sehe es Ihnen an den
Augen an: ganz durcheinander sind wir noch, stimmt's?
Schön ruhig. Schön langsam aufrichten. Bringt den Kreislauf auf Trab, das Massiertwerden. Oh, diese einförmigen
Triumphe des Masseurs und ihre, Sybilles, verschwitzten,
geradezu fieberhaften Niederlagen – sie empfand sich
überhaupt nicht als den Typ für die Einfälle, mit denen die
Physiotherapie das menschliche Fleisch reparierte. Als
Lötstellen funktionierten sie aber gut, die Massage-Termi-
ne im JOSEPHINEN-HOSPITAL. Auch mit einem Zahnarzt
sich zu verabreden, wäre schlau.
Die Angewohnheit langen Herumliegens am Nachmittag
stammte noch aus Zeiten mit festen Bühnenengagements

und sie machte sich heutzutage bezahlt. Sybille kam abends gut zurecht. Tagsüber fiel es aber auf: das Verbringen von Stunden. Die Abende glückten. Alle harten Getränke waren den Vormittagen zugeordnet. Ach, wie gern schloß Sybille Läden, wie gern zog sie Vorhänge zu. Bald käme der Frühling, danach der Sommer, und sie müßte sich länger gedulden, bis sie sich vor der Welt abschirmen konnte. Ihre Leidenschaft für Dämmerungen käme zu kurz und müßte auf den Herbst verschoben werden. Mit Verträumtheiten mogelte Sybille sich bis halb sechs durch, gegen sechs am Nachmittag erschien sie gern im KAISER-Supermarkt, wo sie beabsichtigte, einen zerstreuten, beruflich gehetzten Eindruck zu erwecken. Abends nahm sie Bier zu sich, und für Bier benötigte man Durst, und Bier schuf Platzprobleme im Körper – also limitierte dieser Genuß sich von selbst. Sybille bezog vor ihrem langen Spiegel Stellung. Sie hob die rechte Hand, zwischen Daumen und Zeigefinger hielt sie einen Bierfilz der Firma HÜRLIMANN, bald schaute sie in ihr Gesicht, weil sie ihre Mundbewegungen kontrollieren mußte, bald auf die gelbe Gerstenähre im roten Filz, und verwandelte sich dabei in Shakespeares Viola, während sie sprach: »Wer gab ihr diesen Ring?/Was meint dies Fräulein?/ Verhüte, daß mein Anschein sie betrügt . . .« Besonders konzentriert war sie, wie immer, nicht, und heute dachte sie: Wenn man sich mal einen Namen gemacht hat, dann ist das etwas Gutes und ich sollte nie vergessen, dankbar zu sein. Ein Name, Sybille Bamberg, gemacht ist er, und das Interessante besteht darin, daß so ein Name von neuem auftauchen kann, groß herauskommen. Was ihren Masseur betraf, den Sixtus Ruch, so schien ihr unzweifelhaft, daß sie ihm durch zwei Fernsehrollen bekannt war. Länger her, ihre Fernsehzeiten. Aber Menschen ihres Jahrgangs – Sybille lächelte amüsiert, das Bier half ihr gegen chronisches Deprimiertsein – diese Menschen über Fünfzig verstanden sich noch auf das schöne moralische Ereignis der Anhänglichkeit.

Schluß mit Shakespeare, ordnete Sybille laut an, und *Nach Moskau, nach Moskau!* rief sie daraufhin in der Rolle der Olga dem Spiegelbild zu, der jüngeren Schwester Irina, die sie dort drin war und die, genau wie Olga, *Nach Moskau, nach Moskau!* rufen mußte: lieber Čechov, freundlicher Čechov! Sybille seufzte inständig und fühlte sich nur wie meistens in dieser Lebensperiode ein wenig zu faul, um ihrem Trieb zum Wehmütigen auf den Grund zu gehen. In eine aufrechte Lage brachte sie sich immerhin, doch lag das an den Stichen, gegen die sie behandelt wurde, und die manchmal das einzige waren, das auf ein physiologisches Hiersein deutete – aber: so furchtbar kurz, so schlecht zu lokalisieren, das waren diese Stiche eben auch, und insofern fügten sie sich unangenehm nahtlos ein in diese Teilstrecke einer Biographie.

Den Patienten gegenüber, die Sixtus Ruch von den Stationen hinunter in den Physiotherapie-Souterrain gekarrt wurden, empfand er sich beinah als Arzt, jedenfalls um vieles unentbehrlicher und wichtiger als vor der ambulanten Massagekundschaft. Sixtus bewunderte vor allem die Chirurgen. Internisten und Pathologen mochte er weniger gern, er fand sie hochnäsig. Aber die Chirurgen! Richtige Kumpel! Sie wußten auch offensichtlich, was sie an ihm, dem Masseur, hatten, wußten um den Wert der Zusammenarbeit, ja, sie arbeiteten einander zu, in die Hände – in die Hände des Sixtus Ruch, von denen eine Diakonisse gesagt hatte: Lassen Sie diese Hände vergolden! Diese Hände haben Wunder vollbracht! Ja, aber was dann, hatte

Sixtus schlagfertig erwidert, was ist dann mit der Arbeit dieser Hände? Mit vergoldeten Händen kann ich keinem mehr helfen, stimmt's? Krankenanstalten überhaupt, irgendwie liebte Sixtus die. Seit seiner Ausbildungszeit flößte schon der Anblick eines Klinikflurs ihm Ehrfurcht ein. Ja, die Chirurgen, regelrechte Handwerker, die den verhunzten und verschandelten Menschen wieder zurechtklempnerten und was sie nicht alles bewerkstelligten und womit sie nicht sonst noch Sixtus imponierten, der dennoch das Gefühl der Gleichrangigkeit genoß, wenn er sie erlebte, erschöpft nach Operationen und sofort eine Zigarette zwischen den Lippen. Richtige Helden, besser als im Kino. Für die Chirurgen schriebe Sixtus eines Tages auch seine Fibel fertig, sein Symptomen- und Methoden-ABC. Unter M: die Marmitz-Methode. Mit der er, nachher um 10.30 Uhr, die Symptomatik unter B: Bamberger Stiche angehen würde. Ha ha, machte er vorwegnehmend. Er erschreckte diese Frau gern ein bißchen. Er hatte noch mehrere befremdliche Druckpunkte für ihren Rücken auf Lager. Ha ha! Bamberger Stiche! Wäre gar nicht übel, sein Versehen in so etwas wie eine Erfindung umzumodeln. Keiner, der weiterkommen wollte – weiter und über das Mittelmaß der Allgemeinheit hinaus – kein solcher kam ohne eigene Schöpfungen aus. Womöglich besaß er das Zeug für einen Neuerer? Sixtus empfand ungewiß und doch auch gewiß, wie sein Betätigungsfeld sich erweiterte, und das verdankte er der Klinik, denn als Masseur mit einer Praxis im heimischen Hetzheim hätte er nie mit Frischoperierten arbeiten können und eine Person wie diese Frau Bamberg wäre dort ebenfalls nie aufgekreuzt. Das Bewußtsein vom großen lauten geschäftigen Stadtbezirk, in den er täglich einfuhr, diente Sixtus Ruchs Selbstbewußtsein auch. Innenstadt, Ostviertel, in dessen Kranke produzierendem Zentrum das JOSEPHINEN-HOSPITAL eindrucksvoll thronte, mit vorgelagertem Betonbau für die Wäschezentrale, die Psychotherapeutische Ambulanz und eben seine Physikalische Therapie. Vom Eingang an hatte Sixtus seine Arbeitsstätte gern. Der Briefkasten mit rotem Punkt: ein Nachtleerungskasten. Schwungvoll kam er am Verkaufskiosk für Patienten und Angestellte vorbei, wie einer, der keine Bedürfnisse hat, ha ha, noch nie hatte Sixtus sich bei Frau Schwarze oder bei Frau Köhn, die abwechselnd den Stand betreuten, für seine Abende zu Haus eindecken müssen. Aber beruhigend war das Bewußtsein, man könnte, notfalls, hier anzapfen gehen.

Und in seinem warmen, süßlich duftenden Reich trafen immer wieder neue und erstaunliche Cervikalsyndrome, Rücken- und Brustwirbelschäden oder gar Unfallopfer ein, gelegentlich interessante Menschen, siehe Frau Bamberg, Menschen, die im übrigen noch nicht – anders als die Bewohner Hetzheims – von Sixtus Ruchs ursprünglicher Bestimmung wußten. Das Erzählen während der Berufsausübung gehörte zu seinen dringenden Vorlieben.

Ja, nun schon seit drei Jahren, ich komme seit schon drei Jahren nicht mal mehr dazu, im Kirchenchor mitzusingen, erzählte Sixtus dem langen Flachrücken der Frau Bamberg. Sein berufsbedingter Rundrücken plagte ihn jetzt wieder und das deutete auf einen Wetterwechsel in Nordafrika hin.

Frau Bambergs Stimme klang halb erstickt. Sie schaffte es immer noch nicht, sich voll zu entspannen, was Sixtus sonderbar beglückte. Er hörte sie Mitgefühl äußern.

Ein Jammer um Ihre Stimme, oder nicht?

Das kann man sehen wie man will, antwortete Sixtus. Vor 25 Jahren hätte ich es sicher so gesehen. Damals haben alle, die was davon verstanden, mir eine Karriere als Bariton prophezeit. Ein Dirigent aus Hetzheim hat mit mir geschimpft, weil ich den andern Weg einschlug. Sixtus, sagt er zu mir, du verpaßt alle großen Opernhäuser dieser Welt, sämtliche Metropolen und den Ruhm, aber du mußt selber wissen, was du tust.

Interessant, japste Frau Bamberg.

Mich hat der Dienst am Menschen angezogen, sagte Sixtus. Nun eröffneten sich ihm zwei Gesprächsbahnen; die eine führte zu den Chirurgen, die andere zur heutigen Jugend und ihrem Mangel an Opferwilligkeit, ihrer Unlust. Sixtus brauchte neues Massageöl für die Hände und entschied sich gegen das Jugendthema. Neulich hatte Frau Bamberg ihn, der mitten im wohltuenden Schimpfen pausierte, mit dem folgenden Satz enttäuscht:

Wären die jungen Leute nicht, die immerhin auf Straßen den Verkehr blockieren, um für etwas zu demonstrieren, wären die nicht, dann lägen alle Leute nur noch auf Massagepritschen oder säßen in Restaurants oder radelten auf Waldwegen herum.

Ganz entschieden war das Thema JUGEND ein heißes Eisen für Frau Bamberg, die auch manchmal Bemerkungen übers Unglück, alt und älter zu werden, vom Stapel ließ, womit sie Sixtus Ruch verdroß. Frauensache, vermutlich.

Wen ich zum Beispiel mehr bewundere als jeden großen Opernsänger, das ist ein Chirurg, hob Sixtus Ruch an und salbte schnellstens den Flachrücken für den zweiten Arbeitsgang.

Sybille Bamberg war froh, daß Sixtus Ruch sich in die Chirurgen-Route eingefädelt hatte. Die Bühnen der Welt kommentierte sie nicht besonders gern, schon gar nicht auf dieser unbequemen Liege und in dieser überwärmten Behandlungszelle. Durch das Kopfloch in der Pritsche, auf die sie bäuchlings gelagert war, brauchte sie Sixtus nur mit gelegentlich ausgestoßenen Ermunterungsstichworten anzuspornen. Vom Liegen kopfunter bekam sie immer eine verstopfte Nase. Wie heiß ihr Gesicht war, wie rotblau sich die herunterhängenden Hände von den Gelenken an verfärbten! Unleidliche, verflucht würdelose Lage der Dinge, sofern sie einwilligte und sich selber in purer Körperlichkeit verdinglichte. Abgewirtschaftet und verflacht fühlte sie sich, und deshalb erstaunte sie es selber doch jedesmal, wenn sie, nach der Massage, mit Sixtus Ruch den nächsten Termin aushandelte. Sie betrachtete eine Staubmaus, die unter dem Hocker versteckt war. Schon beim letzten Mal war bis hierhin das zuständige Putzgerät nicht gelangt. Auf dem Hocker war der übliche Stapel brauner Wolldecken abgelegt. Ein Obdach bot sie ihr eben doch, diese Zelle, und die Dreiviertelstunde darin. Die ersten zwanzig Minuten verdöste sie unter dem tunnelförmigen Heißluftkasten, den die Mannschaft der Physioabteilung *Hundehütte* nannte, was Sybille erst nach Eingewöhnung anfing, lustig zu finden. Ich passe mich an, dachte sie, wenn die Massiererei zu irgendwas gut gewesen sein wird, dann zur Anpassung. Andere Leute zogen sich gern tagsüber aus, andere Leute lagen gern gewärmt herum, anderen Leuten gefiel es, von fremden Händen bestrichen zu werden – Sybille lernte Sätze über die Vorlieben anderer Menschen wie Rollen auswendig.

Den Gefallen, dem Masseur ihre Kitzlichkeit zu zeigen, wenn er sich so wie jetzt mit seinen Händen in ihre Leistengegend einschlich, buchstäblich hinterrücks, den tat sie ihm heute noch weniger als vorgestern, aber als es sie beim ersten Mal unvorbereitet getroffen hatte, da war ein Kichern nicht zu unterdrücken gewesen. Mehr als gekitzelt war sie verblüfft und nicht ganz sicher, ob der Masseur sich korrekt verhielt. Gehörte das zum Programm? Oder war es unschicklich? Ertappte sie ihn und wäre der Leistenabstecher meldepflichtig? Allmählich gewann sie den Masseur aber lieb und begriff, daß er nur Berufspflichten an ihr vornahm. Er fing an, dazuzugehören, seine leisen weißen Schuhe mit dem perforierten Oberleder genügten: mehr von ihm sah sie im Verlauf der Behandlung nicht. Anschließend erst, wenn er sich als Autogrammjäger bezeichnete und ihr sein Auftragsbüchlein zur Unterschrift hinhielt, da erblickten sie einander: ihm mußte sie ihr erhitztes Gesicht offenbaren, er zeigte seinerseits seinen bekümmerten voreiligen Ausdruck. Glasig war aber alles und auch verzerrt, was Sybille nach der Dreiviertelstunde in der Bauchlage wahrnahm.

Sie bringen mir den Kreislauf durcheinander. Mit einem Satz wie diesem, ausgesprochen als Lob, konnte man Sixtus Ruch stolz machen. Ob er nun ein Prahlhans war oder nicht, Sybille wollte ihn durch ein saftiges Kompliment erfreuen, aber ehe es dazu kam, überlistete er sie, griff durch ihre Achselhöhlen und schnappte sich rechts und links Sybilles Brust – oder bildete sie sich das nur ein? Und war es nicht vor zwei Wochen schon einmal passiert? Hatte es sie damals, mit mehr Sprit, sprich Unternehmungsgeist, weniger blamiert? Apropos Sprit, Schnäpschen: dazu hatte sie heute morgen noch gar nicht ihre Anmerkung gemacht, und sie brachte jetzt reichlich nasal, wie zugestöpselt, heraus:

Und wie steht's mit meiner Schnapsfahne, heute morgen?

Kaum was zu merken. Wissen Sie, ich bin an so vieles gewöhnt, mich wirft so leicht nichts um.

Oho, machte Sybille ratlos. Was gab sie doch sonst immer zum Besten, an dieser Stelle? Wie betäubt sie heute aber auch war. Eine Gehirnmüdigkeit. Ach ja, diese Nachtparties, alle diese Fêten, eine jagte die andere und keine war denkbar ohne Sybille Bambergs Mitwirkung.

Wie bringen Sie das fertig, fragte sie. Ich gehe mal davon aus, daß auch jemand, der so klinisch weiß und beherrscht ist wie Sie, daß auch so einer ab und zu einen Kater hat ...
Das Lachen ging sehr schlecht. Abgepreßter Atem.
Hab ich wenig mit zu tun, antwortete Sixtus Ruch. Kenne meine Grenzen. Mein Maß, sozusagen.
Das kenne ich auch, sagte Sybille, diesmal ganz klar.

Sie hatten sich beide diesmal nichts vorgelogen, aber Sixtus Ruch wußte es nur von sich, und daß er die quartalsmäßigen Rauschzustände unterschlug, empfand er keineswegs als Heuchelei. Er kannte tatsächlich das Maß bei einem Rausch. Der Frau auf dem Bauch aber mißtraute er. Entspräche es nicht seinem Lebensgesetz, vor aller Einmischung zurückzuweichen, dann würde er in diesem Augenblick zugreifen, dachte er. Er würde ihr sagen: Hören Sie auf damit, schon morgens zu trinken. Er kannte sich aus: Diese Fahne war nicht vom Restalkohol. Er sollte sich da heraushalten. Außerdem brauchte er sein individuelles Kontrollsystem ganz und gar, um auf sich selber aufzupassen. Wie er mit sich Tag für Tag zurechtkam, das beanspruchte ihn vollauf. In seiner Abteilung wußte keiner was von seinen Trinksitten. Einem der Chirurgen gegenüber hatte Sixtus einmal eine Andeutung gemacht, an einem dieser redseligen Vormittage mit schwerstem Kater. Wenn er einen Kater ausschwitzte, das wußte Sixtus von sich, lief er Gefahr, sich anzuvertrauen. An einen von diesen kurzen Sprechanfällen erinnerte er sich ungern. Er zog es vor, seinen damaligen Adressaten, den Chirurgen, freizusprechen und wollte das Angeschnauztwerden vergessen, damit er diesen Menschen und mit ihm den gesamten Berufsstand und überhaupt den Begriff der Chirurgie weiter bewundern konnte.

Sixtus näherte sich den letzten Arbeitshandhabungen auf Sybille Bambergs Flachrücken und er erkundigte sich:
Die Stiche sind aber noch nicht ganz weg, oder wie?
Immer noch nicht, antwortete Sybille, die ihre Auskunft laut und deutlich hatte erteilen wollen; deswegen hörten sich die drei Wörter wie ein Fauchen an, unfreundlich, befürchtete sie, und sie setzte hinzu:
Das macht aber gar nichts. Ich finde, sonst tut es mir gut.
Das tut es ganz gewiß, predigte Sixtus.
Noch ein paar Wohltaten über das Soll hinaus, Wohltaten für Sybille Bambergs Waden, und er wäre fertig. Die Strapaziertheit der zu stark gewärmten Frau interessierte ihn nach wie vor, auf ihre Taumeligkeit freute er sich und damit auf seinen eigenen Standesstolz, wenn es so weit war, und sie von vorne sichtbar wurde. Denn beschämt und erledigt sah sie dann immer aus. Er wollte sie heute noch ein wenig mehr belasten – kein Kunde mehr auf dem Vormittagsprogramm – und darum beutelte er ganz gehörig die winterlich matten, bleichen Fleischpäckchen, zu denen Frau Bambergs Waden vermutlich auf Grund von unsportlicher Lebensweise heruntergekommen waren. Themenmäßig gesehen, paßte nun das Gebiet Gymnastik, und Sixtus erzählte von den 250 Hüpfschritten, mit denen er nach dem Aufstehen seinen Organismus ins Rollen brachte.

Alles, was der Masseur mit schmierigen Händen auf Sybilles Rückseite anstellte, das gesamte glitschig-fleischliche Register seiner Künste vollzog sich schnell und blieb dem Gehirn unübersichtlich. Das Gehirn, fand Sybille, verteilte sich auf ungute Weise im tiefgedrückten Kopf. Was, medizinisch betrachtet, Unfug war. Das Streichen, das Reiben, das Kneten, das Walken: möglicherweise hatte der Körper Spaß daran. Sybille glaubte es nicht, was ihren Körper betraf. Ihr Gehirn hatte keinen Spaß daran, womit alles erklärt war. Ließ der Masseur nicht aber einiges aus dem Repertoire weg? Seine zum Instrument gewordene Kundin Bamberg kannte doch noch ein paar Nummern mehr aus Filmen, in denen Mafiosi massiert wurden, während sie beiläufig herumstehende Untertanen mit Instruktionen versorgten und womöglich gleichzeitig noch im Nacken ausrasiert wurden oder dicke Zigarren rauchten?

Sie tun alles, was man tun kann? In dieser Ganzmassage? Ich frage nur so . . .

Mit anderen Worten war auch dieses Gesprächsgebiet von den beiden in der Massagekabine schon begangen worden. Von Vollmassage sprach nun aber Sixtus Ruch wie früher manchmal und wie wenig er davon halte.

Ostwind und leichte Dunstigkeit, als Sixtus Ruch sein Auto zurück über die Autobahn nach Hetzheim lenkte. Das Auto war staubig geworden, und Sixtus würde es, zwischen erstem und zweitem Bier, mit ein paar Eimern Wasser abduschen. Komische Person, Sybille Bamberg. Ohne Ader für die Wissenschaft, für Sachlichkeit, hierin wie alle Frauen. Frauen! Eben noch kam man bestens mit ihnen aus, und dann plötzlich, aus heiterem Himmel, zogen sie Gesichter, sie schienen beleidigt zu sein, und einen Grund hatten sie nie für ihre Zierereien, das Schmollen, Verübeln. Sixtus rekapitulierte die letzte Gesprächsrunde. Sein Autogramm hatte er sich geben lassen und dabei sogar noch einen Extra-Scherz gemacht, auf sich angespielt, darauf, daß er fast ja selber einer geworden wäre, um dessen Autogramm Leute sich gerissen hätten.

Und bei mir, so hörte er Frau Bamberg wieder sprechen, ist es bekanntlich wirklich so geworden und ich kann Ihnen bloß versichern: man gewöhnt sich dran, es ist nichts Erhebendes dabei.

Traf ihn etwa Schuld, wie lächerlich! Wie konnte er alle möglichen Schauspieler und Schauspielerinnen in seinem einen und einzigen Kopf kennen? Sybille Bamberg: nie davon gehört. Sixtus fuhr mit Tempo 120 bei vorgeschriebenen 120 durch einen kleinen Laubwald, der noch winterkahl und armselig licht rechts und links der Fahrbahnen stand; wo war er denn hin, der Grünschimmer, den er auf dem Hinweg bemerkt hatte, und wohin war seine Witterung von Frühjahr, jetzt auf dem Heimweg?

Ohne ihre klassischen Ganzmassagen stände sie schlechter da, die Frau Bamberg, mit ihrem Hang zu morgendlichem Trinken und mit dem Flachrücken, der ihre Statik allmählich verändern würde, aber Sixtus Ruch gehörte nicht zu den Weltverbesserern und darum hatte er in sich den Wunsch unterdrückt, auf sie einzureden. Er gab Gas, wünschte aber gar nicht, so früh wie möglich zu Haus anzukommen.

Ostwind und leichte Dunstigkeit verschandelten die Marshall-Anlage. Sybille Bamberg kam rasch von der Stelle. Benommen und übererregt fühlte sie sich. Nein, die Massagen bekamen ihr gar nicht gut. Bamberger, seit wann hieß sie Bamberger? Er behandelt mich so ausführlich, weil er mich natürlich vom Fernsehen kennt: Sybille führte ein eingebildetes Telephonat. Man hat Privilegien, meine Liebe, ich weiß ich weiß, und fühle mich oft ein bißchen schuldig deshalb. Andererseits: ich habe mich immer ganz und gar in meine Rollen eingegeben.

Oder so ähnlich. Pfeif drauf. Schwamm drüber. Wie häßlich alles aussah, Häuser, Bäume, die Anhöhe, Parkgelände, kahl und bräunlich, halbrasiert. Lindgrün schmutzig diese Grasfläche. Was für ein erbärmliches Bühnenbild. Kleinbürgerliche Kostüme. Als sei bei der Inszenierung das Geld ausgegangen. Im Frost erstarrter Morast. Die Sonne eines sibirischen Hochkeils schilderte Sybille diese Mittagsszene als öde, stumpfsinnig, der Apathie anheimgegeben. Die Beine taten ihr weh, blödsinnige sture Bearbeitungen des Masseurs, die dafür verantwortlich waren. Und ihre Stiche bekäme sie immer wieder. Bamberger Stiche! Was bildete der Mensch sich ein. Kleinbürger, schimpfte sie nun ihn, und vom Kleinbürger war der gedankliche Weg kurz zum Kleinrussen, zum lieben, freundlichen Anton Pavlovič Čechov selber. Dem sie ihre wahrhaftigsten Existenzaugenblicke verdankte. Durch dessen Frauenerfindungen sie ihre ehrlichsten Aufenthalte auf dieser Erde erleben konnte. Und wieder könnte! Nach Haus, nach Haus, zur Probe an den Spiegel. Zu Verwandlung! Gegen Abend mit dem Bier und dessen eingebauten Trinkbegrenzungen ergäbe sich aus der Olga mit Kopfweh eine Irina voller Arbeitsdrang – nach Moskau, nach Moskau!

SOLIDARITÄT

Die Bedingungen, unter denen der Notar Marks an diesem ersten Mittwoch des Monats seinen Abendessenskumpan Hauser, den Internisten, in der ALTEN GLOCKE traf, waren völlig gewandelt. Beim Ablegen seines Mantels in der engen Garderobe schwitzte der Notar vorbereitend. Seinem geröteten Gesicht, das in seiner elliptischen Rundheit einem Rugbyball glich, und seinem empörten, aufgeregten Blick begegnete er im Spiegel unter ödem Neonlicht. Er verstand diese Glut. Von oben bestrahlt sah sein Haupt-haar erledigt aus. Wie kurz vor der Abschaffung.

Vorwurf und Verwundung gleichermaßen prägten den Ausdruck des Notars, und darin erkannte er ausschließlich Bestätigung. Indem er diese Impression hervorrief, unter-stützte sein Körper seinen Geist. Man hatte Marks belei-digt, den gesamten Marks, Kopf und Leib und Seele. Die Gegenwart stieß ihn seit dem 10. April ab. Bis dahin hatte er selbstverständlich keineswegs ungeschoren die Statio-nen seiner Biographie auf sich einwirken lassen, das nicht. Bald grollte er diesem, bald jenem Phänomen der Zeitge-schichte, manchmal zielte seine Erbitterung auf bestimmte Fakten, sogar auf solche, in die er nicht individuell verwik-kelt war, dann wieder grollte er mehr in einem Rundum-schlag. Er nahm gehörig am Tagesgeschehen auf diesem Erdball teil, war Abonnent zweier Tageszeitungen und hielt sich ein Wochenblatt, Zeitschriften las er außerdem.

Mit der Bemerkung SIE SEHEN ABER GUT AUS störte ihn die Garderobiere auf die gewohnte Weise. Heute abend konn-te der Notar Marks es sich nicht verkneifen, in einer kurzen anstößigen Phantasie die Garderobiere, eine pom-pöse Frau seines Alters, dort hinauf auf die kalte Schlachtbank zu hieven, statt seiner, und in dieser Einbildung sah er die Garderobiere zum ersten Mal unbekleidet und von hinten. Ein Solidaritätsgefühl suchte ihn heim. SOLIDARI-TÄT: der Notar ärgerte sich über den Mißbrauch, durch welchen sein Enkel diesen Begriff alltäglich machte. Immerzu blähte sein Enkel jeden Kleinkram auf, und großtö-nend ereignete sich Solidarität bereits dann, wenn der Enkel dem Großvater von seiner Portion Roter Grütze etwas abzweigte. Der Großvater verhielt sich solidarisch zu seiner Tochter, falls er sich dazu überwand und ihrer Münz-Sammlung ein Fünfmarkstück opferte.

Ehe er die Garderobiere mit noch mehr Warmherzigkeit bedenken müßte, weil sie sein Menschenlos teilte, das ein Patientendurchsuchungsgeschick war, ehe in seiner Vor-stellung er und sie sich miteinander gegen die gewöhnli-chen Erniedrigungen im Zeitgenossentum verbündeten, wandte er sich von ihr weg und schnauzte nur zurück: Sollte ich wahrhaftig gut aussehen, so muß das an Ihrer grotesken und menschenfeindlichen Beleuchtung hier drin liegen. An zu starkem Heizen ebenfalls.

Er ging ab. Auf dem Weg zu seinem Tisch rechts hinten in der ALTEN GLOCKE überlegte er, wieso er nicht damit brechen konnte, sich die Garderobiere als nach unten hin spitz zulaufend auszumalen. Ihm war von ihr nur bekannt, was über ihrem Kleiderschanktisch in Erscheinung trat.

Mit dem Bild des trübe sitzenden Freundes Hauser dort am üblichen Platz verfiel jeder Gedanke an die Gardero-biere, und Marks tat dieser Anblick wohl. Die Physiogno-mie Hausers war von hängender Struktur. Alle Markie-rungen in diesem Gesicht verliefen abwärts. Im Oswald-Park standen ein paar alte große Hänge-Buchen. Hauser erinnerte an diese Bäume. Sie kamen dem Notar immer falsch vermessen vor. In ihrem ursprünglichen Pflanzenta-lent zum Aufstreben hatte ein Ungeist sie behindert. Jeder

Ast und an jedem Ast jeder Zweig deutete nach unten. Und doch behaupteten sich die Hänge-Buchen im Wettlauf mit den anderen Gewächsen, sie trieben aus, sie spendeten Schatten, sie färbten sich im Herbst glorios, mit einem Wort: sie lebten. Ähnlich dem Internisten Hauser. Internist zu sein, hatte er aufgegeben, und nun schon im dritten Jahr genoß der Freund, dem man keinen Genuß anmerkte, auf Grund eines von der Kassenärztlichen Vereinigung genehmigten kleinen Störeffekts im Coronarbereich seinen kurzweiligen, vorgezogenen, nicht recht verdienten Ruhestand, trieb sich in einer zweiten Kindheit herum. Seine Praxis war in mehrere Spielzimmer umgeformt worden. Er malte ein wenig, schrieb Sprüche, in einem Ärzteblatt veröffentlichte er Stimmungsbildchen aus der Natur. Musizierte er auch? Platten hörte er regelmäßig. Er war ein Befürworter liberaler Ideen und mit drei, vier Kernsätzen hierzu ausgerüstet und immer gut aufgelegt und erst 67 Jahre alt, während der Notar schon 69 Jahre alt war. Kindskopf, dachte er, als Hauser ihn mit dem folgenden Ratschlag begrüßte: Laß dich nicht gehen, alter Knabe, mach nicht so ein wütendes Gesicht und behandle um Himmels willen den Ober etwas freundlicher.

Diesen Ober, wie du weißt, plagt sein Rheuma, und nierenkrank ist er dazu. Armer Kerl. Du selber siehst heute aus, als wolltest du die ganze Welt vergiften. Anstatt froh und dankbar und vergnügt zu sein.

Wenn man so aussehen kann, wie man will, ist man noch gut dran, entgegnete der Notar. Wenn man sein Gesicht unter Kontrolle hat. Sofern du bei guter Stimmung bist, mein Lieber, so könnte keiner es erraten.

Ich bin bei bester Stimmung, sagte Hauser. Es stellte sich heraus, daß er noch eine Spur unglücklicher aussehen konnte als ihm vorgegeben war.

Bei bester Stimmung, bei bester Stimmung, äffte der Notar seinen Freund nach. Mit welchem Recht, frage ich dich.

Nun, ich hätte Grund genug, besonders heute. Zum Beispiel deinetwegen könnte ich bei bester Stimmung sein, es gab bekanntlich gute Nachrichten über dich. Deine liebe Frau war immerhin so freundlich, mich zu informieren. Heute wird der Gründling empfohlen. Es gibt aber auch Coda, Seeteufel, La Lotte de Mer, wie du beliebst: deine grätenlose Geliebte aus dem schönen blauen Mittelmeer.

Hast du nicht gelesen: Mittelmeertiere, Fische oder Krebse oder Austern, allesamt sind sie verseucht, schimpfte der Notar. Beste Stimmung! Ich verstehe euch Unbekümmerte nicht. Unbelehrbare Menschheit. Glücklicher Stumpfsinn. Lebensfreude! Pah! Die Luft vergiftet, das Wasser hochgefährlich geschädigt – von allen Seiten und von oben herunter und von unten herauf will man uns an den Kragen und du, ausgerechnet du als Arzt . . .

Ich bin Privatmann, sagte Hauser. Die Werte hier am Stadtrand, vielmehr überhaupt in unserer Region, sie können so schlecht nicht sein. Und manches wird hochgespielt. Es wird viel übertrieben. Die heutige Zeit scheint die Absicht zu verfolgen, uns zu entmutigen. Alter Griesgram du, werd kein alter Knurrhahn, hörst du? Jetzt rede ich als Arzt und rate dir im Guten, deine Gemütsverfassung aufzupäppeln. Schon was von psychosomatischen Zusammenhängen gehört, wie? Na, siehst du. Und wie mir deine liebe gute Frau, die arme Frau nach all dem was sie an Sorgen um dich mitgemacht hat, also wie sie mir anvertraute, steht es gut um dich, mein Alter. Na, Kopf hoch!

Der Notar war es leid, ringsum der Anlaß für erleichtertes Aufatmen zu sein. Gelegentlich – seit dem 10. April, durch den er diese neuartige Schwere seiner Empfindungen, ja vielleicht Schwermut mitmachte – gelegentlich wunderte es sogar auch ihn, daß er um sein eigenes Erlebnis von Befreiung, Erfolg, Glück gebracht war. Zwischen ihm und dankbarer Erlösung störte die Schwelle, zu der sich die Vorgänge in der Praxis des Röntgenarztes aufgetürmt hatten. Der Notar war schockiert. Eine Mitschuld traf den Röntgenarzt überhaupt nicht. Netter, sehr netter Kerl, repetierte der Notar oftmals. Auch am Famulus, der sich des Notars wegen die Wirbelsäule verrenkt hatte, fand er noch einen nachträglichen Gefallen. Das Angedenken ans junge Mädchen, diese hübsche Assistentin, tilgte er, er schob sie immer wieder aus der Umkleidezelle hinaus, weg mit ihr.

Eine Röntgenuntersuchung der Marksschen Därme lag erst eine Woche zurück und noch immer spürte der Notar Marks das Gewicht des Unschicklichen. Man hatte ihn zur Schlachtbank geführt. Solche Schlachtbänke hatten sie also mittlerweile erfunden, die Wissenschaftler, das also war sie, die Neuzeit, die Medizin der Achtziger Jahre, und damit hatte der Notar Marks denn doch nicht gerechnet. Er hatte, an sich selber, mit irgendwelchen Außenaufnahmen gerechnet. Durchaus auch mit Entblößungen, aber garantiert hätte er sich auf dem Rücken liegend gesehen, offenen Auges und nicht auf dem Bauch.

Ordinär, ohne sittlichen Respekt, so verfuhr man mit dem Menschen, gewiß um des Menschen willen, aber gab es nicht unsichtbare Schranken, hinter denen sich der noch so diensteifrige Trieb zu ermitteln zurückhalten mußte? Der Notar Marks äußerte sich in diesem Sinn.

Hauser trank mit tranigem Gehabe, sah verloren aus und antwortete: Bring dich auf andere Gedanken, alter Rechtsverdreher. Warum macht ihr nicht auch mal eine von diesen Städtetouren, du und deine Frau. Man muß seiner Frau was bieten, erstens das, und zwar erst recht, wenn wir älter werden. Zweitens sind die Angebote der deutschen Bundesbahn wirklich hervorragend. Nürnberg zum Beispiel, warum fahrt ihr zwei nicht einfach mal nach Nürnberg.

Angewidert und neugierig glotzte der Notar seinen Freund an. Der Ober servierte die Suppe, und Freund Hauser machte den Eindruck eines Menschen, dem noch mehr Galle gereicht wird. Todtraurig hob er den Löffel. Doch sein Gemüt war unbeschwert, denn in jeder Zutat, die das Existieren ihm lieferte, erblickte er Zeitvertreib, und allem, was seine fünf Sinne prüften, war der Stempel des Erfreulichen und Interessanten aufgedrückt.

Nach Nürnberg bringen mich keine zehn Pferde mehr, sagte der Notar Marks. Jeder zweite Mensch ißt dort eine Rostbratwurst. Die Nürnberger Farben sind grau und braun, von der Nürnberger Vergangenheit ganz zu schweigen.

Was hast du gegen Rostbratwurst, fragte Hauser. Ich vermute, dein Trauma ist, daß sie bei der Röntgenuntersuchung herausgefunden haben, wie steif du geworden bist. Du hättest einen Muskelkater vom Liegen auf dem Bauch, vertraute mir deine liebe gute Frau an, die Arme, nach allem was sie an Sorgen durchgestanden hat.

Zwanzig sind Sie nicht mehr, hatte die hübsche Assistentin den Notar getröstet, als der sich über die Unbezwingbarkeit des Röntgentisches beschwerte.

Hör auf, dich am Unwesentlichen festzubeißen. Du bist gesund und solltest deinen Schöpfer dafür lobpreisen.

Dem Notar fiel so manches Wörtchen ein, daß er mit seinem Schöpfer gern mal unter vier Augen geredet hätte. Alle Welt, die Familienmitglieder ohne Ausnahme, redete ihm seit dem 10. April gut zu, im Stil des Freundes hier am Restauranttisch, doch allmählich erlahmte man in seinem Umkreis ein wenig, und dieses Schöpfungsereignis, der

69jährige Notar Marks, fing an, zu verblassen und ihnen mit seinem mürrischen weinerlichen Trotz auf die Nerven zu gehen.

Ich bin schockiert, sagte Marks und wußte nicht, ob er sich dem Freund gegenüber wiederholte. Er hatte es seiner Tochter gesagt, das wußte er noch genau. Seine Tochter reizte ihn am meisten zum Widerstand. Ihrer Organisationspedanterie verdankte er das ganze Theater. Die Aussicht, von nun an mit Klagen über körperliches Unbehagen vorsichtiger sein zu müssen, stimmte ihn ebenfalls nicht zuversichtlich. Man riskierte, sogleich wieder in ein abscheuliches medizinisches Ermittlungsverfahren verwickelt zu werden. Etwas Prinzipielles war schlecht und verkehrt am Altwerden, empfand Marks. Unter anderem verstieß gegen ein ungeschriebenes ethisches Gesetz, daß Töchter zu Vollstreckungsfunktionärinnen an ihren eigenen Vätern werden konnten. Diese Töchter waren ihrerseits Opfer und zu bemitleiden. Aufsichtspflichten machten sie grämlich, bitter, ließen sie altern, ihre Stimmen wurden scharf, jeder Liebreiz schwand dahin, und von leichtem Flirt mit Vätern konnte nicht mehr die Rede sein.

Drohend hob Marks sein Bierglas und sagte zum Freund: Auf demütigende Ideen seid ihr gekommen, ihr Fortschrittsgläubigen. Im Bestreben, alte Knechtschaften der Menschheit zu besiegen, habt ihr neue Knechtschaften erfunden. Die Geisel der Menschheit ist und bleibt nun einmal sein vergänglicher Leib, sein verwesliches Fleisch. Aber um es ein paar Jährchen länger zu erhalten, dürfte man dieses menschliche Fleisch nicht verhunzen und verspotten. O nein, ihr hättet die Menschenwürde nicht antasten dürfen, ihr hättet den Menschen nicht der Lächerlichkeit preisgeben dürfen.

Was dir fehlt, das sind gezielte Massagen, eine sinnvolle Heilgymnastik und ein paar vernünftige Hobbies. Früher haben wir Steckenpferd dazu gesagt. Leider ist diese Suppe für meine Blutdruckwerte um einige Prisen zu stark gesalzen, sagte Hauser.

Du irrst dich, die haben jegliches Salz seit langem aus ihren Küchen verbannt, sämtliche deutschen Köche und Köchinnen, ohne Ausnahme, schimpfte Marks. Geh mir nur aus dem Weg mit Hobbies. Er sprach das Wort im Falsett aus und verächtlich, beabsichtigt war vom Notar eine Kopie der Stimme, in der sein Enkel sich äußerte, aber das konnte Hauser nicht wissen.

Übrigens ist auch der Bamberger Raum zu empfehlen. Oder: nimm Regensburg. Also, die ganze Ecke da unten, sagte Hauser, sie lohnt sich. Lohnt sich wirklich. Barock oder was genau sie da haben, und das schöne Nürnberger Land mit seinen Knoblauchfeldern, überhaupt: Franken. Nebenbei war Nürnberg von altersher sozialdemokratisch, was ich nur deiner Anspielung von vorhin wegen erwähne. Man sollte auch nicht päpstlicher sein als der Papst.

Einen Menschen dazuzubringen, sich nackt auf den Bauch zu legen und von hinten in ihn einzudringen . . . der Notar schmatzte mißbilligend. Er konnte nicht weitersprechen. Nur in den wenigen Pausen, die sein inwendiges Beschwerdeführen einlegte, besaß er die Einsicht in diesen Sachverhalt: sein Lebensalter machte ihn ungeeignet, am Fortgang der medizinischen Wissenschaft teilzunehmen. Ihm nur war es unbequem und anstößig. An jüngeren und gelenkigeren und schlankeren Menschen vorgenommen, haftete der Untersuchungsmethode nichts Obszönes an. Ihm fielen Szenen zwischen sich und seiner damals kleinen niedlichen zuckrigen Betty ein. Kurz schaute er in einen uralten Schwarzweißfilm, in seine Erinnerungen, auf verschlissener Kopie, mit grotesker Tonqualität. Hinterteile hatten ganz andere Rollen gespielt. Schwer zu glauben, man sei selber einmal ein Mensch wie alle anderen gewesen, also einfallsreich und unzüchtig. Jetzt fühlte der Notar sich wie zum Denkmal erstarrt, wie er hier im braun getäfelten Lokal saß, in der gelblichen Beleuchtung, und nur gut, daß Regen plötzlich gegen die Fensterscheiben knallte – ja wie Knallen hörte es sich an, und daß er die Nacht draußen und damit sich selber zu spüren bekam, wieder so etwas Rettendes wie Teilnahme an dem Schicksal des Erdballs.

Wir leben nicht mehr in der Goethezeit. Das waren die Worte seines Enkels. Er studierte Linguistik und Theaterwissenschaften und verfaßte sonderbare geometrische Texte, die Marks immer abgetan hatte. Seit dieser Untersuchung, fühlte er, gebot es sich, das anders zu beurteilen. Er würde sich zwar nicht weniger langweilen, und zwar mit – ehrlich gesagt – jedem Satz, der von seinem Enkel zu erwarten war, doch müßte er einsehen, daß diese Kühle und Uninteressantheit der Gegenwart eher entsprach als jede eigene und zu ihm, dem Notar, persönlich passende Idee.

Das Hauptgericht kam, und der Notar begann mit einer Gabel voll Salzkartoffeln, die er in die bleiche dicke grünlich gepünktelte Estragonsauce gequetscht hatte.

Überwinde dich und leg dir ein Hobby zu wie alle anderen Leute auch, riet ihm Hauser, der wie jeden Mittwoch Kalbssteak vom Grill, Reis und gemischten Salat bestellt hatte.

Spazieren gehe ich bereits, antwortete der Notar.

Spazierengehen genügt nicht, wandte der Arzt ein. Du mußt, um auf dem Sektor Bewegung zu bleiben, dir was einfallen lassen, das dich zum Schnaufen bringt. Du gehst ja nur gerade so schnell, wie es dir selber gemütlich ist.

Soll mein sogenanntes Hobby mich etwa quälen, fragte Marks höhnisch. Wenn du mir schon mit Allerweltssachen wie sogenannten Hobbies kommst, möchte ich doch meinen, daß diese den Sterblichen zum Vergnügen gereichen sollten. Irrtum?

Nein nein, mein Lieber. Sieh dich mit der Sauce vor, übrigens.

Ich weiß ich weiß, ich muß an Gewicht verlieren und ich werde auch an Gewicht verlieren, stieß Marks hervor. Er hatte diesen Ausspruch seit dem 10. April mehrfach getan, und immer wirkte er sich wie die Prophezeiung zukünftiger Schlankheit aus. Die Absichtserklärung kam einer kurzen, schlimmen, aber doch klärenden Fastenkur gleich, ja doch, immer wenn er ankündigte, er werde abnehmen, dann nahm er schon ein wenig ab. Neulich hatte er in seiner alten Kanzlei einen Besuch gemacht. Er ließ sich zum Geburtstag gratulieren, wie jedes Jahr, und unaufgefordert machte er seine Programmerklärung: Ich specke ab. So verstanden sie es dort am besten. Und pfundweise war Masse von ihm weggesackt, doch aß er weiter, in der Kanzlei hatte es sich um Wiener Kranz gehandelt, aber während er aß, spürte er mehr Ernst und befand sich in einer Art Abschiedsstimmung. Es war ihm feierlich und angenehm zumute.

Aus diesem jungen Mann, ich komme jetzt nicht auf den Namen, Butenberg oder so ähnlich, begann Hauser, aus diesem Rock-Idol mache ich mir nicht gerade viel, zugegeben, aber gestern abend in einem Interview hat er mir doch imponiert.

So so, machte der Notar. Und inwiefern?

Auch seinen Fisch, die grätenlose Mittelmeerfreundin, verseucht oder nicht, aß er heute abend mit heiligem grimmigem Bewußtsein von kommender Mäßigung.

Dieses Rock-Idol wurde von seinen jungen Anhängern ausgefragt. Wahre Kinder noch, dort im Fernsehstudio, erzählte Hauser. Er war jetzt ungefähr in der Hälfte beim

Kalbssteak und so gut aufgelegt, daß er zum Erbarmen einladend zerknirscht aussah. Wie es denn komme, daß manche Alte und Ältere ganz und gar jung blieben, andere hingegen sich verhärteten und unansprechbar würden, fragten diese Kinder den Rock-Star. Und der sagte etwas sehr Gescheites, und es klingt mir im nachhinein wie für dich gemünzt: Alte sind dann jung, wenn sie im Kopf neugierig bleiben. Du verstehst mich! Es ist in andern Worten die Entsprechung meiner Ratschläge. Bundesbahntouren, ein Steckenpferd für zu Haus, Gymnastik, und die Neugier auf jeden einzelnen Tag und was er so mit sich bringt. Offenheit! Aufgewecktheit! Beweglichkeit!

Der Bauch muß dahinschmelzen, dachte der Notar und träufelte nicht den ganzen Saucenrest auf die zweite Portion Salzkartoffeln. Wie gut daraufhin in die säuerliche Miene des Freundes zu blicken war, wie wenig der Bauch jetzt störte. Neulich in der Umkleidezelle hatte er erheblich gestört.

Dann bin ich alt, steinalt, sagte er. Langweilig finde ich alles.

Schlimm genug, unverständlich, antwortete Hauser mit einer mäkeligen und gereizten Tongebung.

Nur bin ich, verglichen mit dir jungem Spund, natürlich beträchtlich jünger, ha ha. Der Notar freute sich auf die Verdutztheit des Arztes. Und wie das, fragte der.

Wer von uns beiden nimmt denn teil, am Hier und Heute, hm? fragte Marks. Wer nimmt denn Anstoß, bitte! Ich nehme alles zur Kenntnis, bin ein Zeitzeuge, mir entgeht nichts, nur kann ich es keiner Neugier für wert befinden. Das Abholzen der Wälder, das Vergiften der Flüsse, das Verschleudern der Steuermillionen, das Verblöden der Bürger, die sich einseifen lassen und sofort in die Hände klatschen vor friedliebender Begeisterung, wenn das Wort EUROPA nur fällt, und die Agrarminister ihre Mißwirt-

schaft mit einer Idee maskiert haben. So ist das, das ist übel
und verlogen, und ihr alle macht euch was vor mit euren
Hobbies und Röntgenuntersuchungsmethoden und Städtetouren. Nürnberg! Du gehst dort durch einen einzigen
Qualm, der nach Rostbratwurst stinkt!

Der Ober wechselte die Gläser aus, und als er rheuma-
schief quer durch den Raum davonging, deutete der Arzt
Hauser auf den schwarz gekleideten, in sich abschüssigen
Mann und sagte leise zum Notar Marks:

Beruhige dich, aber schau mal unserem guten Ober nach.
Fällt dir was auf?

Wieso, fragte der Notar, der wie immer bei grundsätzli-
chem Zorn ein unangenehmes Gefühl auf der Zunge hatte
und mehr zu trinken brauchte. Seine Zunge kam ihm wie
unregelmäßig geteert vor.

Wie du siehst, flüsterte der Arzt, bewegt der Ober beim
Gehen seinen Arm nicht. Und, hielte er nicht das Tablett
rechts, er würde auch diesen zweiten Arm nicht bewegen.
Du selber hast dieses Manko der Greise. Denk immer
dran, und laß um Himmels willen nicht beim Gehen die
Arme schlaff runterhängen. Du mußt hin- und herschlen-
kern, das mußt du mit den Armen machen. Präg dir's ein.

Merkwürdig fade fand von nun an der Notar Marks alle
weiteren Gabelbissen, sowohl was die Estragonsauce auf
den Kartoffeln als auch was die Seeteufelin, La Lotte de
Mer betraf, die Coda.

Coda, sein Einsatz, sein Stichwort ... da capo! Aber wie?
Der Notar spornte sich vergeblich an. Und beim Nach-
tisch griff er ohne innere Ernsthaftigkeit zu. Die Zügel
schleiften. Creme Caramel und hastiges Herunterschluk-
ken. Wo war sie hin, die Pfunde aufsaugende Programma-
tik kommender Fastentage? Gestört vom neuen Projekt,
dem Armeschlenkern, vertraute Marks eigenen ernsten
Absichten nicht mehr. Er trank jetzt unbeherrscht sein

Glas aus, und insofern, als er sich beim Ober sofort auf seine nächsten Schlucke abonnierte, begann er, dem früheren Notar Marks und Stammgast, dem Menschen vor dem 10. April mit der Untersuchungsschande, wieder ähnlich zu werden. Aber unglücklich. Wenn ihm nicht die alte Sitte eingefallen wäre, durch deren Ausübung er schon bei früheren Störungen wieder hatte Fuß fassen können. Die alte Sitte fiel ihm ein mitten im angeblichen Anhören einer liberalen Hauserschen Idee zur Neugestaltung des Oswald-Parks. Hauser sagte:

Der Ostteil also wird für die Allgemeinheit geöffnet, und links oben auf dem Rosenhag bleibt ein Reservat, gegen Eintritt ebenfalls jedermann zugänglich, aber eben gegen Eintrittsgebühr.

Der Notar beschloß, während er den aufmerksam Wägenden spielte, seine Tochter morgen wieder einmal zu bestehlen. Oder heute abend noch, je nachdem, wie die Verhältnisse es mit sich brachten. Immer wenn er ihr eines von ihren 5-Mark-Stücken entwendete, hatte er sie noch jedesmal anschließend merkwürdig gern. So ergaunerte man sich sein Plätzchen auf Erden zurück. Ja ja, so brächte er sich zurück, mitten hinein in so ein Herzstück von brüderlichem Leben. SOLIDARITÄT – mein lieber Kindskopf von einem Enkel, du mußt auch erst noch erfahren, am eigenen Leib und möglichst nackt und von hinten unten, was das bedeutet: Solidarität!

Bringen Sie jetzt die Rechnung, rief der Notar dem Ober zu, Wärme im Ton, eine Szene, in der dieser alte Knabe da mit seiner unterwürfigen Krummheit bäuchlings auf dem Röntgentisch lag, vor Augen.

Der kleine graue steinerne Vorraum zwischen Hauptpor-
tal und gepolsterter Drehtür, durch die man sich ins
Kircheninnere schieben lassen konnte, dieser zur Gold-
grube unwürdig heruntergekommene Verkaufsschauplatz
wurde dem Theologiestudenten Jakob Schattenberger allmählich zu eng. Zu heiß auch, aber die Glut entströmte
ihm selber, seinem aufgeregten Körper. In Mitarbeit des
Körpers, dachte der Theologiestudent, denn es war die
Seele, es war der Geist – fast der Heilige Geist selber – was
in ihm als Empörung zündelte.
Neugierige Menschen starrten ihn an. Das Münster fanden
sie gar nicht mehr so spannend. Diese anderen Menschen
hatten für ihren Einlaß gezahlt, im Unterschied zum
Theologiestudenten Schattenberger. Es drängte ihn noch
immer zu den dämmrigen, gewiß von den erwünschten
Farbtönen goldblaurot übergossenen Eingeweiden des
Ulmer Münsters vorzustoßen, doch er bestand sich selber
gegenüber darauf, in dieser irrtümertriefenden Angelegenheit den Mann im Kioskverschlag über seinen eigenen
Anspruch aufzuklären. Denn es handelte sich um einen
Anspruch, war mehr als nur ein Begehren. Es war vollkommen rechtmäßig. Gesetzestreu.
Wenn Sie gesehen hätten, was es da drin alles zu konservie-
ren gibt, welche Schätze, mein lieber junger Mann, sie
würden schleunigst zahlen, sagte ein Herr in Burbury-
Eleganz und versöhnlicher Laune zu ihm, der aber weiter
mit dem Aufsichtsmann stritt.
Eine Schulklasse entquoll den vier Fächern der Drehtür,
und der Theologiestudent legte eine Kampfpause ein, denn
er wollte nicht dauernd andere Lebewesen, die für weniger

Interessantheit des Alltags sorgten als er – Jakob Schattenberger: ein kaum je Einverstandener – er wollte nicht andere
Geschöpfe Gottes, kraftlose Blindgänger, Schwächlinge,
mit den Schauspielen verwöhnen, durch die sein angebore-
ner Sinn für Gerechtigkeit das einförmige Leben schillern
ließ.
Entrichten Sie Ihren Beitrag und der Fall ist erledigt.
Der Aufseher klappte sein Visier zu, das gelbliche und zu
viel bespuckte Plastikoval mit den ausgestanzten Löchern
für Reden und Zuhören. Über sein Ruhestandsalter hinaus
beschäftigte man ihn; vermutlich hatte eine Leidenschaft
fürs Geldabknöpfen ihn fest am Wickel, dachte der Theologiestudent, der den Aufseher plötzlich verdächtigte, sich
selber nie – seit Jahrzehnten vielleicht nicht mehr – die
Mühe zu machen, ins Innere der Kirche einzutreten. Sein
dickes, brotmassenartiges Gesicht behielt einen wichtig-
tuerischen und selbstgerechten Ausdruck bei. Zwischen
grünlackierter Kassenschatulle und einem Stapel Broschü-
ren mit weihnachtlichem Aufdruck lagerte sein Imbiß-
päckchen, irgendwas Rechteckiges Hellbraunes in Plastik-
folie. Grinsen und Zürnen, das konnte der Mann gleichzeitig. Sein patziger Blick galt jetzt einer jungen Frau. Wie
unangemessen, fand Jakob Schattenberger, denn sie be-
zahlte doch sofort. Aber auch nach seinem Dafürhalten
duftete sie zu vordergründig, hatte zu viel von einem
aufwendigen, die halbseidene Stimmung von Nachtclubs
heraufbeschwörenden Parfum über sich gegossen. Jakob
Schattenberger machte diese Erfahrung jetzt erst: in Kirchen störte Parfumgeruch. In Kirchen erst recht. Vorher
war es ihm immer nur bei Mahlzeiten unangenehm gewesen, wenn Illis Kosmetikschwall sich mit den Ausdünstun-
gen der Gerichte zusammentat: zu nichts Bekömmlichem.
Aber wollte er nicht jetzt vor dieser Frau, die sich noch bei
den Ansichtskarten umschaute, angeben? Neuer Ehrgeiz

ergriff ihn, und eifrig-streng sagte er in die gelöcherte Trennscheibe:

Sie verschanzen sich da in Ihrem kommerziellen Gehäuse schließlich hinter nichts anderem als ... Sie in Ihrem merkantilen Käfig ...

Er wurde ratlos, kam ein bißchen durcheinander.

Na, was soll's sein, fragte der Aufseher höhnisch und erlebte einen seiner rachevergnüglichen Höhepunkte. Daß er in schwäbischer Mundart seine Gegnerschaft hier in diesem Ring austrug – als einen Boxring empfand Jakob Schattenberger den Vorplatz zur Kirche längst – daß der Aufseher schon durch seine Sprechweise dauernd recht hatte, verschärfte die Lage. Auch ich müßte mit Akzent sprechen, dachte der Theologiestudent, am besten bayerisch.

Fehlt es Ihnen an Kleingeld? fragte eine Frau, die mütterlich und verschmitzt aussah, und auf einmal bekam Jakob Schattenberger Appetit, er hatte Lust nach einer gemütlichen warmen Suppe und dazu ein Heimweh nach irgendwohin.

Oh nein, ein finanzielles Problem, ich meine, ein Problem meiner Brieftasche ist das ganz und gar nicht, sagte er. Es ist prinzipieller. Ich bin Student der Theologie.

Jakob deutete ratlos umher zwischen Drehtür und Kiosk.

Die verheißenen göttlichen Behausungen, wollte er sagen, die Erdenplätze, die für sie stellvertretend errichtet sind, sie müssen frei zugänglich sein. Die lieblichen Vorhöfe, von denen Kirchen einen Begriff geben, in die kann man sich nicht einkaufen, nicht mit klingender Münze. Stattdessen stammelte er, verwirrt vom beschützerhaften Eindruck, den diese Frau von vielleicht fünfzig Jahren auf ihn machte:

Seit wann, frage ich Sie, seit wann verlangt der liebe Gott Eintritt? Gebühren?

»Gott der Herr«: Oh, warum hatte er jetzt nicht seinen richtigen rhetorischen Moment, den Mut zur schönsten Sprache, der lustvollen lutherischen Bibelsprache? Er artikulierte viel deutlicher, wenn er vor seinem Badezimmerspiegel die Liturgie probte und nicht mehr ganz nüchtern war.

Sie sollten aber die Krippe sehen, riet ihm die Frau.

Jakob Schattenberger ging nicht darauf ein, daß sie ihm eine Zwei-Mark-Münze zwischen Zeigefinger und Daumen ihrer rechten Hand hinhielt. Das sabotierte seine Wucht, diese weißen gestrickten Fingerhandschuhe, die sie anhatte, zu betrachten. Wieso blieben die so sauber? Gleich würde die mildtätige und ihrer selbst sichere Person eine Wollmütze aus der Tasche ziehen und ihm, damit er sich zum Bübchen zurückbilde, über den Kopf stülpen.

Mehr Durchschlagskraft, mehr Schneid, Bestimmtheit, Hochdruck, mehr Schmiß: so forderte es in ihm, und er sagte nun, adressiert an niemand Bestimmten:

Es fehlte nur noch, daß sie hier außerdem Süßigkeiten und Getränke in Dosen feilböten. Ich finde es nun mal schändlich, Menschen daran zu hindern, frei in Kirchen aus- und einzugehen. Ekelerregend.

Er wandte sich an den Aufseher:

Sie – Sie erinnern mich an den Schalterbeamten vorhin im Bahnhof. Landsmann von Ihnen, nebenbei. Als ich ihn ein zweites Mal aufsuchte, weil ich eine Auskunft brauchte, hat er mich sofort verachtet. Genau wie die alte Dame, die vorher bei ihm dran war. Ich habe das genaustens miterlebt. Das war Geringschätzung. Ihre Unsicherheit beim Reisen, ihre Angst hat ihm Mut gemacht. Kaum kennt einer die paar erbärmlichen Geheimnisse eines Berufs, der kein menschliches Gehirn über Gebühr strapaziert, da gießt er auch schon seine charakterlose, bestechliche Menschenverachtung über andere. Die Bundesbahn schuldet mir zehn Mark, ich schulde ihr nichts. Und sie schuldet mir – was entschieden mehr wiegt – einen humanen Ton, Freundlichkeit. Gehen Sie zum Schalter Drei, versuchen Sie es mit einem Erstattungsantrag, am Schalter XYZ und wo auch immer werden Sie falsch sein, Sie werden überall anecken, nur stören, auffallen, hemmen, ein Hindernis und im Weg sein.

Wieder und längst unterhielt der Theologiestudent andere Menschen zu gut, niemand war das Pulver wert, das er verschoß, aber so erginge es ihm sein Leben lang, denn er predigte jetzt und zwar aus göttlichem Zorn, dieser Antriebskraft verdankte er Glück und Unglück.

Auf diesem Rahmen hier, auf diesen Verkaufskiosk übertragen hieße das, was mir gegenüber an Schuld vorliegt: Erbarmen. Daran fehlt es. Barmherzigkeit.

Also fehlt es doch hieran? Er machte die Geldzählfingerübung, dieser Mann mit der kleinrussischen Pelzmütze, der auf eine leicht angewiderte Weise vergnügt den Theologiestudenten beobachtete.

Nicht bei mir, ganz und gar nicht, protestierte der Theologiestudent. Andere Leute, Leute die nicht wegen der kunsthistorischen Bedeutung in diese Kirche gehen würden, diese anderen Leute, die wahren und gewünschten Gäste Gottes, die nämlich eine Sehnsucht hätten.

Er spricht von den Armen, sagte die Frau mit den weißen Strickhandschuhen.

Arme in dem Sinn gibt es heutzutage nicht mehr, erwiderte der Mann, den die Pelzmütze jetzt ein wenig behinderte: er kratzte sich kurz und wie bei einer schweren Aufregung unterhalb des Mützenrands an der Stirn. Die soziale Sicherung, verstehen Sie, die Leute können Sie mit dem Mikroskop nicht finden, die heutzutage nicht in der Lage wären, für einen Kircheneintritt die nötigen paar Pfennige zusammenzuscharren.

Jakob Schattenberger, der Theologiestudent, redete nur noch im Innern weiter über das Fehlen der Milde zwischen den Menschen. Die Hochherzigkeit, der Großmut! Sie kommen, an einem gewöhnlichen Dezembertag in Ulm, vom Regen in die Traufe, vom Bundesbahnschalter zum Kirchenkiosk, die Menschen machen alles Große und Vielversprechende eng und gemein.

Er sah sich nach der parfumierten jungen Frau um. Es roch doch noch immer nach ihr. Und was das Sehen anging: er sah das jetzt anders. Sie war eine, die sich Mühe gab. Es geschah sicherlich nicht in schlechter Absicht, wenn sie sich parfumierte, ehe sie zu einer Münsterbesichtigung aufbrach. Sie meinte es gut mit den Krippenfiguren. Jakob Schattenberger erkannte sich gern bei Lernprozessen. Viel Duldsamkeit und Liberalität lagen als tägliches Pensum vor ihm. Der jungen duftenden Frau, wenn sie noch da wäre, würde er augenblicklich zitieren: »Ich habe dich je und je geliebt. Ich habe dich zu mir gerufen, aus lauter Güte.« Güte, das Stichwort! Empfinden Sie nicht wie ich? Wenn ja, dann empfinden Sie diesen Mangel an Güte? Die Art und Weise, an einem Platz wie diesem, an einem solchen Ort wohlgemerkt, mit »Halt halt, mein Herr!« angerufen zu werden, diese Pedellmanier, die halte ich für gottesfern. Für himmelsabgewandt. Glaubensfeindlich. So!

Zum Aufsichtsposten, dem behäbigen Mann, der in seinem Stuhl wie im Recht selber saß, sagte er:

Mich abzuweisen, kann Sie teuer zu stehen kommen.

Ach so, ach was, sagte der Mann, der brandmarkend über den Theologiestudenten hinweg ins erhoffte Publikum ordnungshöriger Gebührenzahler blickte. So so, teuer zu stehen kommt mich das. Interessant.

Und Sie spüren diese Gefährdung gar nicht? fragte der Theologiestudent und machte ein leeres, hämisch gemeintes »Ha ha« für die kleine Gruppe am Kiosk, diese besondere Art von Neugier-Touristen. Keiner dabei, der sein Glück, auf so ein Spektakel mit einem derartigen Glaubensbastard gestoßen zu sein, unterschätzte und zur Weihnachtskrippe strebte.

Aber die Sache fing an, ihm selber zu schaden: Jakob Schattenberger spürte das. Der Aufseher riß an der Perforierung zwei Billets für ein neu hinzugekommenes Ehepaar ab und verkaufte zusätzlich ein Heftchen mit dem Titel: »Das Ulmer Münster zur Weihnachtszeit.«

Jede Geste verunglimpfte den Theologiestudenten.

Ich bin soeben in Brüssel gewesen und in jede noch so wichtige Kirche ohne Tribut gelassen worden, erzählte der dem Ehepaar; doch wie in Prophylaxe, bei der es um etwas Entehrendes ging, wandten diese beiden sich von ihm weg, und in ihrer gemeinsamen Hast, ihm zu entkommen, stopften sie sich zu zweit in ihren dicken Umwicklungen gegen zwei Grad unter Null, in wattierten Polsterwintermänteln, in ein einziges Drehtürschubfach und drückten sich ins Kirchenschiff.

Der Theologiestudent war unter anderm – von der Sehnsucht nach Gottes Stille abgesehen – mit dem Vorsatz hierher gekommen, einige Ansichtskarten vom Münster und fromme Schriften, Handzettel und ähnliches und bei Glück ein Gesangbüchlein zu entwenden; er nannte das nicht so, er kannte sich mit den einschlägigen Regalen und Holztischen in Kirchen aus und beherrschte die notwendigen Handgriffe, die ihm mit Unschuld und Beiläufigkeit gelangen. Als Diebstahl hatte er noch nie solche kirchlichen Handlungen aufgefaßt, und das verhielt sich so, schon lange bevor seine Entscheidung getroffen war, die Germanistik dem Studium der Theologie zu opfern. Er machte dann immer die ziemlich interessante Empfindung mit, die in so komprimierter Abfolge jenseits der Welt kirchlicher Gebilde kaum zu haben war: er erlebte sich beim Schuldigwerden, aber unbedeutendes Schuldigwerden, kleines Übertreten. Und fast gleichzeitig ereignete sich das Verzeihen, um Haaresbreite nur verfehlte die Gnade das Delikt. Jakob Schattenberger persönlich, mit seinem Immatrikulationspaß für den Himmel, mit seinem Kabel zum lieben Gott, er persönlich fühlte sich stets nur in Menschenangelegenheiten dann und wann NICHT unschuldig. Gott gegenüber nie. Aber das ewig Unfertige zwischen Menschen peinigte ihn oft, trieb ihn in die Gegenrichtung. Jetzt brachten sie ja, die Postingenieure, das Bildtelephon heraus, fiel Jakob ein. Er versuchte, die Tür zum Vorraum hinter sich zuzuschmettern, aber vergebens, diese Tür war in ihren Angeln schon gebremst und spielte beim zornigen Abschied nicht mit. Das ist mein Bigfon zu Gott hin, ich hab's früher gehabt als alle diese technisch schlauen Erfinder, redete es in Jakob Schattenberger, während er über den zugigen froststarren Münsterplatz schritt, und es ihm lächerlich vorkam, daß er seine Souveränität nicht öffentlich geltend machen konnte: Glatteis und eine rote Ampel, die zwangen ihn zur Vorsicht, ha, der Augenschein sprach gegen den Theologiestudenten.

Auf eine Ansichtskartenrückseite hatte er schreiben wollen: Illi, Liebling, ohne den Aufenthalt im Münster, nämlich Ulm nur mit Ulmern, ich wäre unter dieser hiesigen irdischen diesseitigen und weihnachtseinkaufsverbummelten Spießigkeit und letzten Uninteressantheit erstickt . . .« War es nicht doch noch immer schade um einen Verschmähungssatz ähnlich diesem? Der Theologiestudent Jakob Schattenberger schämte sich so ausgiebig, wie er es jetzt in diesem Moment im Fischerviertel, kurz bevor er den Fluß erreichte, gar nicht erwartet hätte, schämte sich für die drei Kaufhäuser, in denen er sich deponiert hatte.

Ich habe mich in allen diesen Einkaufshöllen überglotzt, könnte er Illi schreiben – oder ihr erzählen, übermorgen schon. So wie wir uns manchmal überschmust fühlen, meine Schöne, du weißt ja. Im Augenblick bin ich unterschmust . . . wieso war ihm ein bißchen übel, während er sich diese Texte für Illi ausdachte, wieso spürte er etwas wie eine große unüberwindliche Faulheit, nun am Donauufer, wenn er an Illi dachte? Sah die junge Frau da vorne nicht ein wenig wie Illi aus? Also los, auf auf, mein Herz, geh aus vor – vor was? Vor Freud? Gottlos, dieses Lieben Illis, sagte Jakob Schattenberger vor sich hin.

Das glatte blonde Haar der Frau mit kleinem, westernpferdscheckigem Hund glich Illis Haar. Den Typ gibt's öfter: Jakob Schattenberger fragte sich, ob er noch eine Spur gehässiger beim Monolog gegen die Außenwelt werden könnte und ob das dann seinem Magen helfe.

Über die Bahnbrücke im Südwesten glitt ein langer Zug in westliche Richtung, Richtung Zuhause, und es sah wunderschön aus, aber nach dorthin wendete sich Jakobs wieder aufkommendes Heimweh nicht – wohin denn bloß? Dort, wo ich nicht bin, wo ich aber sein könnte kraft irgendwelcher geheimnisvoller Stromstöße der Phantasie, dort möchte ich sein. Sein Heimweheindruck kam ihm wie Durst vor. Ein Durst von der unlöschbaren Sorte. So bald man dann trank, erwies sich das Bedürfnis als Täuschung. Es war der falsche Mangel bekämpft worden. Man hatte getrunken und dachte: das war es also auch wieder nicht. Kein Flüssigkeitsdefizit. Aber welches denn nur?

Das Fragliche, dem dieser Ulmer Tag des Theologiestudenten mehr und mehr anheimfiel, das Unscheinbare und sogar Überflüssige machte ihm Sorgen. Er schaute die Wintersonne an, diese fette, mandarinenähnliche Frucht in weißlichen Hochnebelschichten. Und alles gefiel ihm: der Zug auf der Bahnbrücke und die Möwenschwärme

überm Wasser und die Bleßhühner, die ihn an die abgeris-
senen schwarzen Gummibrocken erinnerten, an die Rei-
fenteile mitten auf der Autobahn – in einem Stück war er
von Brüssel hier herunter gefahren und hatte sich noch
immer von keinem dafür bewundern lassen – ihm gefielen
die Schneekleckse im verschossenen Wiesenrest des De-
zember. Wenn bald wieder der kalkige Halbmond im
Wolkenqualm aufträte, so gutmütig und gesellig, so
pünktlich wie die Sonne, fände Jakob Schattenberger auch
alle diese Himmels- und Erdenkörper schön, stille und
beständige Investition, und jetzt erst fühlte er sich wahrhaftig zwischen diesen wortlosen Schöpfungskumpanen
völlig verlassen. Wie der allerletzte Angeklagte, schmutzig
fühlte er sich, unzweifelhaft schuldig. Denn zwischen
diesem Schönfinden und seiner inneren Verfassung bestand kein Zusammenhang. Der Draht war tot. Kein
Funke sprang über.
Diese Leere war ausschließlich durch einen Spurt des
Willens zu beheben, man mußte sie selber überspringen,
und genau hier, jetzt, an diesem geographischen Punkt
neben der von der Sparkasse Ulm gestifteten Spaziergän-
gerbank befand sich des Studenten Schattenbergers Start-
loch. Also los! Drei zwei eins ... der Countdown. Und
nicht behelligen lassen, warnte Jakob sich, nur nicht
durcheinanderbringen lassen von der idiotischen Mißge-
burt einer Idee, einer Unidee, diese für Zeitneurotiker wie
ihn erfundene Wanduhr seiner Gastgeber: sie fiel Jakob
Schattenberger ein, weil er rückwärts gezählt hatte: drei
zwei eins ... los mit dir! Auf dem Keramikzifferblatt der
Uhr waren die Zahlen in der verkehrten Reihenfolge
angeordnet, dem Uhrzeigersinn entgegen. Was für einen
Unfug ersannen Menschengehirne – nein nein, gebot sich
der Student, kein Menschenzorn soll mich jetzt ab-
lenken.

Er beeilte sich, als gälte es, den letzten Zug nach Haus zu erwischen, doch es war nur ein Schreibwarengeschäft, das er anstrebte. Zum Gegenwert von einer Mark zwanzig – er hielt den Preis wirklich für unangemessen hoch, aber die Sache selber war in Geld nicht zu bezahlen, so teuer ach so teuer! – für eine Mark zwanzig also erwarb er zwei Ansichtskarten. Beide zeigten das Münster frontal. Und auf die erste schrieb er: »Liebe Bina, ich muß sofort wissen, welche Farbe deine Zahnbürste hat – es brennt, es brennt: vor Anhänglichkeit! Dein kleiner Theologiestudent.«

Auf die zweite Karte schrieb er: »Liebe Martha, sofort muß ich wissen, ob Du eigentlich Pantoffeln benutzt – es eilt, es ist fünf vor zwölf, vor lauter Wißbegierde bei Deinem getreuen Zwerg von einem stud. theol., J. Sch.«

Beide Frauen könnten ihren Neffen wie so oft nicht ganz begreifen, in Schüben war er überschwenglich und beteuerte irgendwas, und sie wüßten auch nicht, mit welchem Herzklopfen und was für eiskalten Fingern, im Zustand des Opferbringens, Jakob ihnen auf einer Bank am Münsterplatz geschrieben hatte.

Jakob Schattenberger trat nun mit mutiger Bestimmtheit zu vier Kindern, die in einem Vorstadium nachmittäglicher Langeweile in Zank gerieten; noch alberten sie vor sich hin, doch bald wäre einer dran, der gequält und ein bißchen verprügelt würde. Jakob fragte sich einen Augenblick, ob er dieses Ereignis abwarten solle, um dem Schwächsten, der gefoltert würde, beizustehen: Ich habe Zuspruch aus bester Quelle für dich, ich zitiere dir einen großen russischen Dichter, mein Lieber; präg dir das für dein Leben ein. »Besser Opfer, als Henker sein.« Er klirrte mit Münzen, die er in seiner rechten Hand schüttelte: Tut mir und euch den Gefallen und betrachtet euch das Münster mal von innen. Schaut euch auch die Krippe an, kapiert?

Was sie mit seinem Geld tatsächlich anstellen würden, wollte er nicht mehr wissen, deshalb kehrte er sofort um. Stolz erhobenen Hauptes zog er seine Bahn durchs überfüllte Fußgängerparadies. Paradies! Oh, Menschenkinder ... kommt wieder ... Wem zuliebe waren alle diese schönen Verheißungen gemacht worden. Für keine der Auslagen in den Schaufenstern hatte der Theologiestudent mehr einen einzigen Blick übrig. Zwei junge Männer seines Alters, einen aufgeklappten leeren Geigenkasten zwischen sich, spielten *Macht hoch die Tür* auf kleinen Trompeten, mit denen Jakob Schattenberger sich nicht auskannte, aber daß sie eine reizvollere, schwierigere Wendung der Melodie bei jeder Wiederholung ausließen, merkte er wohl und zwar verärgert. Er summte diese Stelle im Weitergehen, sang sie dann fast laut, weil er die Leierkastenmusik von ungewiß süßer Weihnachtszeit, für die ein als Nikolaus verkleideter erwachsener Mensch verantwortlich war, nicht in sich aufkommen lassen wollte.

Es war demnach nicht Geiz, lieber Gott. Das wußte Jakob Schattenberger doch jetzt, ja? Nicht aus Geiz hatte er aufs Münsterinnere verzichtet und stattdessen mit dem Aufsichtsmann herumgestritten. Den ganzen Abend hindurch freuten ihn seine Karten an die Tanten und die unabgezählte Geldmenge für die Kinder vor dem Münster. »Ich habe dich je und je geliebt, ich habe dich zu mir gerufen, aus lauter Güte.« Nicht sterben, nicht sterben, flüsterte er; als er aber nicht genau wußte, wen er so beschwor, gewiß seine Eltern, gewiß seine Geschwister, und die beiden geliebten Tanten, da riß ihm der Faden, und er dachte: bald bald werde ich euch endlich wieder einmal besuchen, und Zahnbürstenfarben, die mußte man kennen, über Zahnbürsten und Abendgewohnheiten mußte man Bescheid wissen, bei denen, die man lieb hatte! Der Theologiestudent bemühte sich zu vergessen, wie viele Badezimmerdetails von Illi er als Wissensstoff angesammelt hatte. Er fühlte sich weniger untreu, sackte in Schläfrigkeit ab, und wie die Sonne über dem Westhimmel am Donauufer, so mandarinenglanzfarben erschien ihm eine Zahnbürstenvision – Zeit zu schlafen, Zeit, aufzugeben – aber dem Kioskverwalter vergab er immer noch nicht, und er bedauerte es nicht einmal. Ein Gleichgewichtsorgan, sozusagen das Ohr der Seele, das muß man schon noch behalten, eine Menschenwut, den Sinn für Unverschämtheiten und für Schwindel, also verzeihe ich ihm nicht, desgleichen dem Schalterbeamten der Bundesbahn, auch ihm nicht, ich vergebe nicht den Verächtlichen ... noch befinde ich mich auf dem Erdboden, ich bin kein Erzengel, ich studiere Theologie, das reißt mich heraus, gewiß, aber was soll der Schwindel, ich muß klaren Auges erkennen, woher die Scherereien zwischen den Menschen stammen ... sonst hebt man ja plötzlich ab ...

Und wirklich breitete sich im Theologiestudenten Jakob Schattenberger die sonderbare, eigentlich schöne Empfindung aus, in einem Möwenschwarm – wie vor drei Tagen bei Sturm auf der Promenade am belgischen Meer, Oostende – eingeschleußt zu sein, aufzuschweben, und in einen domartig gewölbten, gesteigerten Himmel voll schwankender Ansichtskartenregale, in schwärzlich-rauchige Wolken zu schaukeln – flog er schon? Tief unten der Fluß, das Meer, das aschedunkle Brüssel, das Ulmer Münster, und nun stieg er himmelan, den zwei listigen Freundchen entgegen, in die Heimwehrichtung, auf das Pärchen da oben zu, Sonne, Mond – und Sterne, die kämen schon auch noch, eines besseren Tages. Heimweh?

O ja, immer noch, würde der Theologiestudent sagen, ich habe immer noch ein wenig Heimweh, auch auf dieser Flugbahn, doch doch, wie ein Durstgefühl, schön ist es zwar hier oben, würde er berichten, schöne Vorhöfe, wollte er erzählen, dann die Gegend mit Wörtern ausschmücken – jedoch: jetzt war er eingeschlafen.

Einunddreißig Grad Celsius im Schatten. Jetzt ist es so heiß, wie es sich die Deutschen dieser Republik in ihrer Gedankenlosigkeit und offenbar aus Mangel an größeren Sorgen seit Wochen gewünscht haben. Auf einer Stuhllehne in meiner kleinen Pergola verspachern meine beiden Waschlappen. Daß ich auch immer noch mit so altmodischen Requisiten wie *Waschlappen* umgehe – du wirst es lächerlich und unhygienisch finden. Vieles, was mich und mein Alltagsgebaren betrifft, hältst du für hirnverbrannt. Ich weiß, ich weiß. Höflich aber läßt du mich so vor mich hin vertrotteln. Sätze wie die bis hierhin niedergeschriebenen tauchen in meinen Briefen an meinen Sohn selbstverständlich nicht auf.

Wie wäre es, jetzt einmal ein bißchen rumzutelephonieren? Der kleinen, schon erwähnten Pergola wegen warten ein paar Krüstchen meines Jahrgangs vermutlich auf eine Einladung meinerseits. Es ist so üblich, daß ich zu Besuch komme, denn ich lebe allein, mit dem Titel Amtsrat im Ruhestand, und Witwer bedauert jeder sofort, wenn er ans Essen denkt. In Hitzeperioden aber gilt diese Amnestie nicht. Den beiden Funks schulde ich, strenggenommen, tatsächlich eine ausdauernde Sitzung dort im Freien, sie stellen sich ungeheuerlich an mit »Sitzen im Freien«, und ich habe das Jahr über häufig, auch gut bei ihnen gespeist. Ich werde meine Tochter anrufen und mein Vorhaben, den Gastgeber zu spielen, anklingen lassen. Liebstes Väterchen, du schuldest keinem Menschen auf der Welt solch große Opfer: ich höre sie schon. Wie willst du die erforderlichen Lebensmittel ins Haus schaffen? Gewiß, Nachbarn könnten dir helfen, zu schade, daß du dich nie getraut, sie um Gefälligkeiten zu bitten. Sie wären stolz darauf, irgendwas für dich zu tun. Du bist ein wenig eigensinnig, stimmt's?

Und ob es stimmt. Ich möchte etwas sehr Strenges, sehr Gerechtes über diese Engelsgeduld bemerken, die dazu erforderlich ist, einen Ruhestand Tag für Tag und zusätzlich im Verlauf einer Hitzewelle auszuhalten. Wäre nur erst August und der Sommer überschaubar! Immer wieder muß ich an die hirnlose, kriminelle Lustigkeit der Wetterberichtsmannschaft im Fernsehen denken. Deren Sonne scheint nicht, sie lacht. Wenn nur kein Wölkchen aufzieht, sie zu trüben! Oh heilige Glut des Juli! Andererseits: den Sommer fand auch ich doch irgendwann einmal bemerkenswert und interessant. Nicht schwermütig werden! Doch, Sommernachmittage, und meine Frau hat ohne Murren zwei oder drei Gartenplätzchen gleichzeitig in Gang gehalten, ich will damit sagen: wohin man schaute, in diesem freundlichen insektenumsurrten, von den verschiedensten Pflanzen bewohnten Areal sah man gedeckte Gartentische. Oder bilde ich mir das nur ein? Meine Kinder warnen mich davor, das Vergangene zu verklären. Doch riefe ich jetzt Töchterchen Sybille an und würde ihr mit meinen Sommerbeschwerden in die Quere kommen, gewiß wiese sie mich vorsichtig zurecht, riete mir, alles nicht so schwer zu nehmen.

Auf dem Boden der Pergola, braungrauen narbigen Platten aus Waschbeton, habe ich ein neues, größeres Vogelbad aufgestellt. Keine Vögel seitdem. Nur Wespen trinken, schwimmen, ersaufen, treiben auf der Oberfläche. Mir will so scheinen, als habe ich, mitten im tiefdunklen Grünen, Schatten ringsum, auch in einer Hängematte stundenlang gelegen, doch war das vielleicht noch viel früher, Kindheit. Für die Kindheit gilt offenbar ebenfalls, daß ich mich davor hüten sollte, sie allzu sehr zu feiern, jedenfalls höre ich derartige Ratschläge, wozu mir einfällt, wie in jedem guten Rat eine Warnung mitschwingt. Nimmst du dir da auch nicht wirklich etwas zu viel vor, Väterchen? Wie zaghaft, wie zaudernd und bremsend das Zurückfragen meiner Kinder sich immer ausnimmt. Gegen deren Mahnung halte ich noch immer am Plan fest, mich eines Tages hinzusetzen und meine Erinnerungen niederzuschreiben. Deine Kindheit würde uns schon interessieren, hieß es anfangs. Ich hatte eine gute Kindheit, und vom Garten sollten lange Passagen handeln. Im südlichen Teil des Gartens wurden Obst- und Gemüsesorten angebaut, und hier war der Schauplatz meiner Proben künftiger Auftritte. Ich studierte den Hamlet, den Carlos, Prinz von Homburg und Trigorin ein, und wenn ein Familienmitglied aus demjenigen Gartenteil, der für Müßiggang in Hängematten, an Gartentischen und für sonstiges Herumtrödeln gedacht war, sich dem Nutzgartenteil näherte, konnte ich mich jederzeit entweder nach Johannisbeeren bücken oder zu Kirschen, Birnen, Zwetschgen strecken – womit ich beschreiben werde, wie wichtig mir damals die Geheimhaltung meiner großen Absichten gewesen ist. Ja, äußerlich besehen wuchs ich in günstigen Bedingungen auf, das geräumige Anwesen und insbesondere der keineswegs heutigen Gärten ähnliche, nicht auf einen Blick zu durchdringende riesige Garten ermutigten mich, aber mein Vater war ein Geschäftsmann, Kaufmann, und ich, ich würde ein Künstler, ich verließe diese Welt und strebte dem Theater zu, anderen Lebensformen, mit Menschen besiedelt, die meinen Eltern und deren Bekannten nicht glichen.

Gut, stimmt ja, ich bin am Theater gelandet, jedoch in der Verwaltungsebene. Mein anderes Schreibprojekt hätte den Titel: Theater von unten. Im Unterschied zu meinen Bürokollegen hielt ich immer Kontakt zum künstlerischen

Personal. Ob ich so ehrlich sein werde, zuzugeben, wie viel Genuß ich während meiner gesamten Dienstzeit daraus schöpfte, jeden Tag in einer Stimmung des Lampenfiebers, das in anderen Menschen vibrierte, zu verbringen, Zeuge angespannter Konzentration und der Nervosität zu sein, ganz von Rechts wegen und diensthalber, weswegen ich oft über die Feierabendstunde hinaus in meinem Büro gearbeitet habe. Der Verwaltungstrakt ist im Staatstheater dem Sitz von Dramaturgie und künstlerischer Leitung mit Intendanz benachbart, über einen Innenhof blickt man in den Flur, welchen immer auch Schauspieler und Sänger betreten, weil es für sie vielfältige Anlässe gibt, bei der Chefsekretärin oder den Dramaturgie-Leuten anzuklopfen. Ich profitierte von dieser Nähe, dachte nicht mehr an meine Kindheitskühnheiten beim Einüben bedeutender Rollen dort im Garten ... wenn es sehr oft sehr heiß war, übrigens, stimmt. Ich hatte früher nicht diese Probleme mit dem Wetter.

Warum setze ich mich nicht wirklich hin, fange an, mit einem der Vorhaben? Vielleicht ernähre ich mich nicht richtig? Zu wenig Eiweiß? Heutzutage suche ich die Gesellschaft von Theaterleuten nicht mehr. Denkbar wäre, daß es an meiner Art der Verköstigung liegt, wenn mir das Fassen von Entschlüssen so schwer fällt. Trinkst du auch genug, fragt mich meine Tochter Mischi, ganz so wie sie einen Greis fragen würde, und mit Trinken meint sie nichts anderes als Flüssigkeit, sie versteht darunter Stilles Wasser, empfiehlt Spa oder Vittel, sie rät auch zu Obst- und Gemüsesäften. Lächerliche Behandlungsweise. Ich rufe vielleicht in fünf Minuten dort bei ihr an, klage über Schmeißfliegen und andere hochsommerliche Unappetitlichkeiten.

So, gesagt, getan. Merkwürdig, das kommt mir eben zum ersten Mal in den Sinn, eigentlich merkwürdig, daß doch keines meiner Kinder (alle miteinander längst gestandene Leute, fast ein bißchen abgestanden, mit Verlaub) auf die Idee verfällt, eine meiner Klagen, falls ich überhaupt deutlich KLAGE, mit einfachem Bedauern zu unterwandern. Niemals höre ich, nie von einem: Ach, armer lieber Vater, wie leid mir das tut. Dieses und jenes. Ich sagte vorhin zu meiner Tochter in der Watteau-Straße, Endstation meiner Straßenbahnlinie: Und wenn dann endlich die allgemeine Bevölkerung am Ziel ihrer Wünsche angelangt ist und die Hitze in den Straßen wütet und die Notaufnahmestationen der Kliniken sich füllen und die Badeseen und so weiter, der Hautkrebs voranschreitet . . . ich bin nicht sicher, alles dies geäußert zu haben, ganz und gar nicht sicher. Ich werde meinen Verdruß über problematisches Aufstehen und Zurechtkommen mit den gewöhnlichen Alltagsverrichtungen bekundet haben. Was sie antwortete, weiß ich genauer. Es ist nie sehr hilfreich, wenn meine Kinder, so wie es eben Mischi tat, Folgendes sagen: Du mußt ja nirgendwo mehr pünktlich erscheinen, lieber Vater. Lieber Vater, wozu ziehst du dich an wie für förmliche Begegnungen? Wie bitte, höre ich recht: du hast Schuhe und Strümpfe angezogen? Wie überflüssig, wie töricht – töricht nennen sie es nicht geradeheraus, kommen mir aber mit der medizinischen Erkenntnis und dem Gebot, wärmende Kleidung zu meiden. Sei doch nachlässig! Kein Dienstherr bekommt dich zu Gesicht, nicht einmal Leute in der Straßenbahn.

Denn ich fahre natürlich nirgendwohin. Die Wimbergers, die sind ungefähr genau so erpicht darauf, in meiner Pergola zu schmoren. Wo ist denn die Nummer der Wimbergers? Ich rufe sie gegen zwölf Uhr an, noch ohne eine Einladung zu formulieren, denn lieber wäre es mir schon, zu ihnen in ihr vollgestopftes Altersheimsuitechen gebeten zu werden. Obwohl mir selbst das nicht mehr so richtig zusagt, das Verköstigungs-Spiel, das Witwer-Mästen, leider leider. Ich bin doch noch nicht alt, ich meine: betagt, richtig alt, steinalt, senil. Das doch nicht! Dem Wesen nach habe ich mich schon manches Mal jünger gefühlt als meine eigenen Kinder es sind, erst recht, wenn ich mich über eine dieser Schändlichkeiten unseres gegenwärtigen Lebens beschwere und mit den vernünftigen Repliken vertrösten lasse: wie brav und gut sie Bescheid wissen! Völlig selbstverständlich, Väterchen, so eine Sommerhitzeperiode, die steht man eben durch, wozu die Proteste! Warum mißgönnst du deinen Nachbarn oder sagen wir doch gleich: allen deinen Mitmenschen, warum mißgönnst du ihnen das Schwitzen und den Schlendrian, du bist doch nicht von vorvorgestern mit deinen Sommerjacketts und in Schuhen und Strümpfen ... nicht ganz zufällig kommt mir der Begriff »Vatermörder« in den Sinn, also Schluß damit.

Es ist das Faulenzen, das mir zusetzt. Aus Sehnsucht nach Arbeit biete ich – weil ich das dem Herumsitzen in meiner Pergola vorziehe – den Funks und den Wimbergers, denen ich verpflichtet bin, meine Hilfsdienste in Behördenangelegenheiten an. Auf dem Gebiet des Krankenkassen- und Versicherungswesens bin ich Fachmann, oder doch gewesen. Wahr ist, daß ich meine eigene Post, wenn ich überhaupt Post bekomme, kaum noch verstehe. Früher einmal hat mich fremden Menschen gegenüber interessiert, in welcher Steuerklasse und wie hoch und bei wem versichert sie waren: erloschen. Ich muß vermutlich acht darauf geben, nicht schleichend immer mehr Dinge des Lebens aus den Augen zu verlieren. Meine Anteilnahme schwindet so sehr.

Oder doch nicht, so schwarz kann man es eigentlich gar nicht sehen, denn wie selten ein anderer engagiere ja ich mich beispielsweise für das Wettergeschehen. Oh ferne, pflanzenreiche und gartendurchstreifende Zeiten meiner Jugend, als Trigorin übte ich mich in Müdigkeiten, war aber selber hellwach und strebte dem öffentlichen Ruhm entgegen! Wie sah ich damals aus? Bevor ich eine Beschreibung versuche, schöpfe ich fünf Wespenkadaver vom Wasserspiegel auf dem Vogelbad. Daß sogar die Vögel anfangen, mein Quartier zu meiden: gefällt mir gar nicht. Wie ich jetzt aussehe, weiß ich jederzeit, ohne es gutzuheißen. Mein Gesichtsausdruck ist vielsagend, vom Parkinsonismus – leichte Form, falscher Parkinsonismus, altersbedingt – habe ich dieses Gepräge des Schwerwiegenden und Ideenreichen. Immer scheine ich gerade soeben erst etwas, das mich ergriffen hat, mitgemacht zu haben. Weil meine Arme bewegungslos herunterhängen, sofern ich ihnen nicht kommandiere, sich hin und her zu bewegen, wirke ich ebenfalls wie jemand, der ein Erlebnis hinter sich gebracht hat. Ja, herunterhängende Arme tragen zum Gesamteindruck der Erschütterung auf dem Gebiet seelischer Erfahrungen, und zwar schlechter Erfahrungen, bei, zum Gesamteindruck der Gottergebenheit. Beides täuscht, denn es geht mir körperlich und auch seelisch nicht ausgesprochen übel. Ich genieße weiterhin Essen und Trinken und das Rauchen, aber die Gesellschaft anderer Menschen, die suche ich nicht beherzt genug, nach allem, was man hört über das erwünschte Verhalten von Leuten meines Jahrgangs und über deren bessere Lebenseignung.

Trudelt dann wirklich einmal eine von diesen Einladungen mit mildtätigem Gepräge mir ins Haus, dann bedaure ich, wegzumüssen, zöge die normal verlaufenden Abende vor, ich bin gern mein eigener Gesetzgeber, halte mich an meine Uhr und an mein System, und immer dann, wenn ich weg soll, frage ich mich, worunter ich eigentlich zu leiden geglaubt habe. Es ist die Langeweile, gewiß, ich erinnere mich auch – aber kaum soll ich zu den Funks oder den Wimbergers oder mich mit Bruno-Georg Stroß treffen, da fängt alles in meinem eigenen privaten kleinen Gehege an, mich brennend zu interessieren. Ich fürchte weiche ausgesessene Sitzgelegenheiten, die Mahlzeiten genügen meinem Appetit selten, ich bin zu rasch fertig, kaue und schlucke schneller als die anderen, Unterhaltungen bei Tisch sind mir unzuträglich und es gibt weder ausreichend noch das Richtige zu trinken. Am unbekömmlichsten aber, ich spüre es deutlich, ist jedesmal der Hauch von Bemitleidetwerden, den ich selber verströme. Warum nur mache ich sofort, schon auf der Schwelle zu einer fremden Wohnung oder im Restaurant, wenn ich zur Begrüßung des guten alten Stroß vom Tisch aufstehe – pünktlich wie ich bin, und unpünktlich wie er ist, ergibt es sich jedesmal so – warum nur mache ich sofort diese Miene eines Jammerlappens, eines Gebeutelten und lade zum Erbarmen mit mir ein? Es liegt nicht allein am Parkinson, denn ich kann noch Grimassen schneiden. Weil ich über die Irrtümer, die aus dieser Lage bei meinem Gegenüber unverzüglich angeheizt werden, äußerst verärgert bin, versuche ich, sie zu entschärfen und ich verfalle in ein Schimpfen. Ich schimpfe auf das Wetter, wie es auch sei, zur Zeit macht mir das, besonders angesichts der überglücklichen Republikbevölkerung keine Schwierigkeiten, ich schimpfe auf die heruntergewirtschaftete Dienstleistungsmoral im öffentlichen Leben, auf die Streikenden oder auf die Aussperrenden, in jedem Fall auf diejenigen, die in der Gunst meines Gegenübers stehen, denn nur um den Widerstand ist es mir zu tun. Denkbar, daß eines Tages Aufforderungen an mich, ein Gast, ein Trinkkumpan im Restaurant zu sein, nicht mehr ergehen. Das würde mir nicht gefallen, prognostizieren meine Kinder. Du bist doch von Haus aus kein Krakeeler, Väterchen! Von Haus

aus, von Haus aus: was für eine Sprache. Wie sie alle sprechen, so einheitlich und ermüdend, und mich erinnert es an mein Leben im Verwaltungstrakt des Staatstheaters. Von Haus aus! Und du, Väterchen, sagst allzu häufig: Denkbar daß. Gut möglich daß.

Ach, wir kritisieren uns fast gar nicht. Telephonieren, das tun wir regelmäßig. Alles friedlich und treuherzig, alles in einer Stadt, und überall könnte ich, wenn ich ein bißchen Druck machte, unterschlupfen. Von außen und allgemein betrachtet, gemessen an Statistiken über ältere Menschen, gehöre ich zu den Bevorzugten. Meine Frau vermisse ich seit Pfingsten vor drei Jahren nun gar nicht mehr.

So, und nun bereite ich meine kleine Mittagsmahlzeit vor. Drei Eier bekomme ich nur zu Haus, auch großzügige Gastgeber würden nur zwei pro Kopf für erforderlich halten. Drei Scheiben Salami, alles überbacken mit – da jagt mir doch tatsächlich die Telephonklingel einen Schrecken ins Gebein! Ich bin nicht mehr daran gewöhnt, daß mein eigenes Telephon schellt. Ich selber, ich telephoniere mich ganz gern dann und wann ein bißchen durch die Gegend, alles Ortsgespräche. – Vorbei, kurzes Hin und Her mit Frau Stroß, die den guten alten Knaben, ihren Mann, bei mir entschuldigt, was für ein Schwachsinn. Fest verabredet waren wir ja keineswegs, was soll also der Schwulst, das Beteuern – ehe es richtig damit losging, verfiel ich aufs Schimpfen, und ich schimpfte auf die Bekleidungsunsitten unserer Tage, auf die Radfahrer, auf den Personalmangel beim Wetteramt, und weil ich beim Telephonieren die Wespen beobachtete, die über dem frisch gefüllten Vogelbad taumelten, drohte ich der Frau Stroß das Aussterben der meisten Vogelarten für die kommenden Jahre an. Aufgelegt. Leidenschaftslos gehen doch alle meine Bekannten, sogenannten Freunde, meine Kinder und schließlich auch die drei erschöpften Enkel auf sämtliche Zumutungen ein, auf die ich im Tagesverlauf ganz von selbst stoße und die unser aller Existieren jenseits der Paradiesgärten versunkener Kindheits- und Jugendzeiten kennzeichnet.

Was beklagst du dich? Schau doch, freier unabhängiger Mensch im Ruhestand der du bist, einfach aus deinen Fenstern in dein Stückchen Garten, gewiß, es ist ein kleines Areal, aber mit hübscher Pergola, nicht alle haben es grün um ihr Wohnzimmer herum. Es ist so jammerschade, daß du dich zwingst zu Schuhen und Strümpfen und einer Jacke für die Straße, sei doch leger wie die andern . . .

Ich beende diesen Monolog für den heutigen Tag. Selbstgespräche und Heilgymnastik, auch kleine Rechenaufgaben und Rätselraten nützen mir noch am meisten. Mit der Heilgymnastik warte ich auf kühlere Zeiten. Bis zum Schriftbild SENDESCHLUSS habe ich vor meinem Fernsehapparat auf meinem Diwan gelegen. Oh doch, weiterhin sage ich DIWAN. Von Haus aus, von Haus aus! Geschäftsleute waren sie zwar, meine Eltern und sämtliche Angehörige, es handelte sich um die Welt des Geldes und nicht um die der Kunst, das wohl. Aber Kultur hatte man auch, und auf irgendeinem Nährboden muß ja wohl meine Sehnsucht nach der Bühne gewachsen sein, nicht wahr? Undenkbar – bewußt drücke ich mich so aus – völlig undenkbar, daß eines meiner Kinder einen künstlerischen Beruf ergriffen hätte. Denkbar, daß sie nicht einmal wissen, wer Trigorin war. Meine Frau ist vielleicht zu sehr Frau eines Amtsrats gewesen, hat selber nicht das Erbe wilder, großer, altertümlicher und von verschiedenem Wild und von Vögeln bewohnter Gärten mit in diese Ehe gebracht. Seit ich sie nicht mehr vermisse, zieht es mich auch so gut wie gar nicht in die Nähe meiner Kinder. Daß ich sie nicht mehr vermisse, ist verwunderlich, denn unsere Ehe ist gut verlaufen. Ich werde aber lieber dieses Buch schreiben, entweder über meine Begegnungen mit Schauspielern – Aus den Augenwinkeln eines Amtsrats – oder ich knöpfe mir diesen großen alten Kindergarten vor. Es gibt Gewitter, dort schon, oh ja! Ich könnte euch allesamt das Fürchten lehren, ihr Wetterfrösche und Metaphernvollidioten mit euren Wolkenachterbahnen und Windkarussells und der Entwürdigung des Himmels zu einem Sportfeld oder einer andern Wettkampfarena: wenn nur die Sonne siegt!

Nach einem Fernsehfilm über erfolgreiche Marktlückenfinder fühlte ich mich vorhin plump und träge, völlig ohne Einfall, molluskenhaft. Überflüssig, daß ich und meine Schwester geboren worden waren. Nach Greisenart ungeeignet. Meine Schwester! Einzige du! Es ist nach Mitternacht, aber dich rufe ich an, du Ausnahme im Ausland, kein Ortsgespräch, ich wecke dich aus deinem Traum, du bist nicht entrüstet, du bist diejenige, die sofort weiß, was los ist, und die ich verständigen muß. Recht hast du, absolut recht, antwortest du mit verschlafener Stimme, eine Spur betrunken hört sich unser Austausch an, du hattest dein Schlafmittel, ich hatte meine Flasche Pinot griglio, aber das alles zählt nicht und du sagst: Ganz richtig, mich zu informieren, wenn es ein Gewitter gibt! Wie schön! Hab tausend Dank, mein Schätzchen, kleiner Bruder, aber nun gib Ruhe, schlaf gut. Ich werde dich mit in meinen Traum nehmen, ich sehe dich dort im Obstgarten ganz verlegen nach den Erdbeeren in die Hocke gehen, aber ich wußte: das dort, das ist ein Ferner, ein Hamlet. Vatermörder. Von Haus aus. Sprechen wir ihn nicht an! Gute Nacht, gute Nacht. Vor dem Einschlafen werde ich oft um eine Nuance zu dankbar und zu gefühlvoll.

Ach wirklich? Wirklich und wahrhaftig? Frau Kilb seufzte
so laut, als wäre jemand da zum Zuhören. Tatsächlich
nochmal Sommer, sagte sie dann, etwas weniger laut, und
wiederum zu keinem. In diesem Juli hatte es zwei kurze,
aufsehenerregende Hitzeanfälle gegeben. Aber nach einer
Woche mit kühlem Wetter – und Frau Kilb gönnte sich
sogar eine beheizte Wohnung für die fast herbstlichen
Abende und die Morgenstunden – und nach Nieselregen,
trüben Tagen unter geschlossener Wolkendecke war bei
Frau Kilb der Sommer in Vergessenheit geraten. Wenn sie
den Schaltknopf ihrer Ölheizung bediente, nannte sie das
immer noch: Ich stecke die Heizung an. Oder: Ich mache
Feuer. Waren ihre Kinder, Schwiegertochter und Sohn,
bei den Telephonritualen morgens und abends gut aufgelegt, dann lachten sie ihr gutes altes Vorzeit-Mütterchen
wegen der nostalgischen Ausdruckswahl ein bißchen aus.
Frau Kilb erwartete im Stillen mit hoffnungsvollem Gemüt die kleinen Zurechtweisungen. Sie machte mit Lust
Fehler. Kleine Fehler. Die bewiesen doch irgendetwas.
Wurden sie angestrichen, ihre Fehlerchen, dann spürte sie,
daß sie noch auf der Welt war.
Also wieder einmal Sommer. Frau Kilb hatte keinen
richtigen Schwung mehr, diesen neuen Anlauf mitzuma-
chen. Die Balkonmöbel mußten wieder gesäubert werden.
Abholbereit wie für Nachlaßverwalter standen sie schon
zusammengerückt in einer Balkonecke, alles sah nach
Winter und Ende aus. Lohnte sich aber, auch realistisch
betrachtet, der Umstand mit den Möbeln? Wenn der Juli
sich verhielte wie bei den beiden vorigen Malen mit
Sommerklima, dann würde es doch in wenigen Stunden

schon viel zu heiß sein für den Balkon. Frau Kilb zögerte diese Arbeit, die gleichwohl besser war als gar keine, noch etwas hinaus, und wurde vergnügt, als ihr einfiel, sie könne zwei neue Riegel ihres Schlafmittels in die kleine alte Blechschachtel umfüllen, es war so weit. Sie hing an der Verpackung von früher. Gern knöpfte sie, Tablette für Tablette, alle vier Wochen ihr schneeweißes Medikament aus den Plastikmulden. Manchmal wunderte sie das Erleichterungsgefühl. Immer wenn ein Produkt fertig benutzt war, beglückte, ja befreite sie das Wegwerfen der Verpackung. Sie hatte auch am liebsten die Tage mit beinah leerem Kühlschrank, übersichtlichem Vorratskellerchen. Woher kam das? Sie wünschte jetzt keineswegs, ins Grübeln zu geraten. Eine Unsicherheit saß ihr heute morgen in den Knochen. Es kam ihr in den Sinn, wie mühsam sie in der vergangenen Nacht um Ruhe gerungen hatte. Und wenn ich statt einzuschlafen wirklich sterben sollte, was wäre denn dabei? Was stört mich so daran? ICH habe doch keine Aufregungen und keine Arbeit und keine Nervositäten mehr nötig, nachher, und wen fürchte ich denn? Den lieben Gott doch schon mal ganz und gar nicht. Zum lieben Gott sagte sie ja sogar: Entschuldige bitte, aber es ist mir einfach zu saudumm, heute morgen in dieses Kirchenlied einzustimmen und so was Naives zu machen wie zu SINGEN. Ich bin ja doch nicht dieses Vögelchen, als das ich mich manchmal hinstelle . . . für die andern, oder? Ha! Oh je oh je: das Telephon! Hab ich mich verbummelt? Schon elf Uhr vorbei? Ist es ein unbeabsichtigter Fehler, wünschte mein Unterbewußtsein diesmal den Tadel? Den Nachweis? Das Signal? Weil ihr Sohn ein Psychotherapeut war – Frau Kilb war endlich so weit, nicht mehr Psychologe oder Psychiater zu sagen, wenn sie nach dem Beruf ihres Sohnes gefragt war – und weil auch ihre Schwiegertochter in dieser Sparte tätig war – wie genau, das allerdings konnte

Frau Kilb schwer behalten – deshalb hatte sie selber sich ans Interpretieren alltäglicher Dinge wie Vergeßlichkeiten beim Telephonieren und ähnlichem Kleinkram gewöhnt.

Es geht wieder los mit der Hitze, sagte sie am Telephon. Warum machst du es nicht wie beim letzten Mal, Mutter? Das hat dir doch so gut gefallen! Es hat wie ein Gedicht geklungen, als du uns davon erzählt hast?

Wovon redete sie denn nur, die liebe Schwiegertochter, freundlich, aber nicht ohne gestrengen Unterton. Frau Kilb versuchte, sich zu erinnern. Ja, für irgendeine Bemerkung war sie gelobt und geliebt worden, irgendeine Bemerkung über sich selber bei der vergangenen Hitzewelle. Keine Ahnung, keinen blassen Schimmer, dachte sie, doch wagte sie nicht, das zuzugeben.

Schräg gegenüber vom Telephon auf der Schreibunterlage, die Herr Kilb benutzt hatte, wenn abends, noch außerhalb der Kanzleistunden, ein Schriftsatz zu konzipieren gewesen war oder wenn er an das Töchterchen Libby einen Brief schrieb, den sogenannten Donnerstagsbrief, dort drüben lag ein halb beschriebener Bogen Papier, und das war nun, seit Herrn Kilbs Tod vor 6 Jahren, Frau Kilbs Donnerstagsbrief an Libby, die ihn am übernächsten Samstag in Tempe, Arizona, lesen würde. Frau Kilb beschlich die Ahnung, dort in ihren eigenen Zeilen könne sie Aufschluß darüber gewinnen, worauf ihre Schwiegertochter immer noch pochte, sie hörte ihr zu:

... du hast wundervoll gewirkt, als du es geschildert hast, Mammachen, glaub mir, du solltest dir das überhaupt zur Sitte machen, zur guten neuen Angewohnheit.

Gewiß, gewiß, mach ich auch, vielleicht, antwortete Frau Kilb. Hab Dank fürs Anrufen!

Sie telephonierte nicht gern allzu lang. Obwohl es langweilig war, tagelang einfach langweilig, und ein Telephongeklingel eine gute Abwechslung darstellte, genoß Frau

Kilb den Moment am meisten, in dem sie den Hörer wieder auflegte. Es ging ihr damit ähnlich wie mit den Abfällen. In der Küche fand sie ein beinah leeres Glas mit Kaffeepulver, und sie spielte ICH BIN EIN FREIER MENSCH NIEMAND SIEHT MICH und warf das Glas mit dem Kaffeerest weg, einfach weg, weg damit. Dem lieben Gott gegenüber empfand sie sich als das Rumpelstilzchen aus dem Märchen, in diesem Augenblick, und der Gedanke machte ihr Spaß. Es müßte doch lohnend sein, einmal wieder ein paar Erinnerungen an Märchen, überhaupt Literatur aufzufrischen, dachte sie. Und die Kinder meinen auch, daß ich mich mehr anstrengen, zu irgendwas aufraffen sollte, ein bißchen da und dort was lernen, hinzulernen oder rekapitulieren, weiß der Himmel was ... das Denken an Bücher war ein Weg. Noch bequemer, im Brief an Libby nachzulesen. Wovon hatte sie berichtet, von welcher guten neuen Sitte, oder wie das eben gehießen hatte?

Ach, wirklich, wirklich und wahrhaftig! Frau Kilb redete wieder vor sich hin, eigentlich wußte sie schon Bescheid. Ein unangenehmer Druck legte sich ihr aufs Herz und auf die Schädeldecke. Sie verspürte keine Sehnsucht nach dorthin, und das registrierte sie als Schuld. Schwächlich und pflichtvergessen kam sie sich vor, oder, noch schlimmer, nicht treu.

Sie lief von der Küche mit ihren kurzen Schritten – über die sie sich auch oft ärgerte – durch den sonnendurchdrungenen, heute wieder fast schrecklich hellen Gang am Biedermeierspiegel vorbei, weil sie zum Brief an Libby strebte; sie glaubte, eine sehr ernste Miene zu machen, mit allen diesen trüben und bedrückenden Gedanken im Kopf, aber dann schockierte sie ein somnambuler und etwas brutaler Ausdruck. Ich sehe ja wie ein zusammengeschlagener Boxer aus, fand sie.

Liebe Libby, las sie jetzt. Wir haben wieder diese furchtbare Hitze, und du wirst wieder sagen: für euch dort in Amerika ist das gar nichts.

Wie fade geschrieben! Frau Kilb war entsetzt. Nicht nur enttäuscht, richtig aufgebracht, wie gerade eben beim Blick in den Spiegel. Ein Fälscher schien ihr immer unmittelbar auf den Fersen zu folgen, er verwischte das Original, tilgte etwas, das ursprünglich dagewesen sein mußte. Während Frau Kilb schrieb, fand sie manches ganz gut gelungen. Sie las weiter, fürchtete sich vor der bewußten Stelle. Da: heute, liebe Libby, ist es mir ganz merkwürdig ergangen, ich kann es eigentlich nicht in Worte fassen. Ich dachte plötzlich: unten, im Souterrain, da müßte es kühl sein.

Frau Kilb lobte sich für *Souterrain*. Überhaupt klang alles gar nicht so übel. Sie brauchte nicht mehr weiterzulesen, denn sie wußte längst, was ihre Schwiegertochter gemeint hatte, und wo es ihr selber gut täte, diesen bevorstehenden, heiß heranwallenden heutigen Tag herumzubringen. Sie war ja schon auf der Rumpelstilzchen-Fährte dorthin gelangt, zwischen die Bücher ihres toten Mannes, in seinen Keller – jetzt sprach Frau Kilb laut und widerständlerisch das Wort KELLER aus, keiner da, sie kritisch zu belauschen.

Vielleicht kam das von nur viereinhalb Stunden Schlaf, daß sie so viel heute vor sich hin sprach. Du und ich, wir haben immer KELLER dazu gesagt. Andere fanden es ein bißchen komisch, aber du hast dich da unten so wohl gefühlt, es war dein Reich. Seit wann benutze ich das Wort REICH? Ach doch, beim Beten, da schon, aber sonst? Frau Kilb fand Gefallen an der Vorstellung, Libby einmal etwas nicht so Alltägliches zu schreiben, einen richtigen Gedankengang, vielleicht so etwas wie über das Wort REICH und die Nazizeit, etwas Kluges, das zugleich auch bezeugte, wie viel, wenn auch ohne Kontinuität, Frau Kilb, Libbys zum MAMMACHEN zusammengeschrumpelte Mutter, über Interessantes nachdachte.

Sie setzte den Schreibstift an, doch war sie nicht ein wenig zu müde, um nun ihre Assoziationen zu Papier zu bringen? Wieder schweifte sie ab, ihr Blick fand zu den Zeilen zurück, bei denen sie mit dem Lesen aufgehört hatte . . .

». . . es war ungefähr so, liebe Libby, als wäre ich unerwartet zu mir selber nach Haus zurückgekommen, ganz eigenartig. Wie nach vielen vielen Jahren. Ich benutze ja Vaters Arbeitszimmer gar nicht, ich lasse die Rolläden geschlossen . . .«

Frau Kilb erinnerte sich. Schon zog es sie nach unten. Aber es zog sie nach diesem vergangenen Moment, der nun über eine Woche alt war. Alle drei Rolläden hatte sie an jenem Nachmittag ein wenig hochgezogen, so daß ein Licht eindrang, zu dem früher Herr Kilb *römisches* Licht gesagt hätte. Dann: der Schaukelstuhl, an die offene Tür zum Garten geschoben. Die Hitze. Kein Blatt hat sich bewegt, sagte Frau Kilb leise zum Briefpapier. Es war so schön, daß es mich auch angestrengt hat.

Mach es doch wieder genau so, es wäre nicht nur wieder schön, es hätte auch mit Vernunft zu tun.

Alle würden die Lage so beurteilen. Und unten, beim Herrn Kilb da unten, da waren doch noch immer die Vorkehrungen für heiße Tage getroffen, der Schaukelstuhl stand bereit, die Pflanzen des Gartens warteten, kein Vogel sang mehr.

Man muß in Stimmung sein, entschied Frau Kilb.

Die diesmalige Hitzewelle dauerte fast vier Wochen, aber kein einziges Mal hatte Frau Kilb gewagt, an das Gelungene des einen Nachmittags im Keller zu rühren. Es ist bei mir wie in einem Backofen, erzählte sie allen, die daraufhin manchmal Kritik anmeldeten.

WER SPRICHT DENN DA?

In den westdeutschen Fünfziger-Jahren war der alte Filmstar wohlhabend geworden, autobiographisch gesehen
zum zweiten Mal, und wenn nicht alle Zeichen trügten,
bliebe er es, wohlhabend bis zu seinem Ende, das er nicht
befürchtete, indem er es nämlich überhaupt nicht bedach-
te: ihm ging es gut auch in immaterieller Hinsicht, und
körperliches Wohlbefinden ergänzte dieses Rahmenwerk,
durch das der alte Filmstar sich nach allen Seiten hin
geschützt fühlte. Mit dem Hausarzt hatte er Glück, nicht
nur mit dessen Befunden. Von den regelmäßigen Kontrol-
len zeigte der Arzt, mittlere Generation, Radfahrer, sich
angetan. Beim alten Filmstar änderte sich wenig, die Werte
verströmten eine gleichförmige Zuversicht, weckten bei
Arzt und Patient Vertrauen. Netter Hausarzt, denn es
schien oft so, als handele es sich bei der erfreulichen
Gesundheit des alten Filmstars um die besonders günstigen Bedingungen, die der Hausarzt mit seiner kleinen
Praxis-Mannschaft ausgehandelt hatte, ehe noch am Patienten der Blutdruck gemessen, der Puls gefühlt, am
Herzen gehorcht worden war. Ein wirklich sympathischer
Junge, fanden der alte Filmstar und seine Frau, die auf der
Suche nach ebensolchem medizinischem Einverstanden-
sein vor ein paar Jahren zum Arzt ihres Mannes überge-
wechselt und nicht enttäuscht worden war.
Auch die vielen Hobbies des Arztes nahmen das Ehepaar
für ihn ein, darunter hauptsächlich eines: Alte Spielfilme.
Alte DEUTSCHE Spielfilme? Nicht ganz bekannt, aber *alte
Spielfilme* genügte ja schon. Der Filmstar verdankte es
seinem gutartigen Naturell, es nie länger als fünf Minuten
hin und wieder zu bereuen, daß er, nach einer überwunde-

nen Bronchitis und der weiterhin genehmigten Abendzi-
garre bei einer Flasche Wein, dem Arzt die Sammlung alter
Filmprogramme überlassen zu haben. Hübsche Praxis,
sagte er sich dann, hübsche und – wenn nicht hübsche – so
doch entgegenkommende Arzthelferinnen, und es gab
dort ein spezielles Wartezimmer für Vorzugspatienten,
mit Stilmöbeln ganz wie zu Hause und anstatt des üblichen
Illustriertenkrams vernünftigem Lesestoff. Jede dritte Seite in den Zeitschriften trug den Stempel mit Namen,
Adresse und Telephonnummer des Hausarztes, aber das
war auch schon das einzige, was der alte Filmstar ein wenig
irritierend fand, und vielleicht entsprang dieses Abstem-
peln einem Spleen und nicht dem Mißtrauen, oder vielleicht der Lust am Benutzen von Stempel, Stempelkissen.
Der alte Star überlegte manchmal, ob ihm überhaupt
irgendein Mensch seines Bekanntenkreises einfiel, bei
dem, wenn es darum ging, wie man ihn beurteilte, Zure-
den nicht half. Irgendwo schlüpfte immer eine Annehm-
lichkeit hervor und eigentlich kamen nur nette Menschen
aus diesem Prüfungstrichter heraus. Trichter . . . da war
doch was . . . war da nicht was aus dem Bereich der
Allgemeinbildung . . . ha, ja: der Nürnberger Trichter.
Was war damit? Das Nachdenken und das Erinnern, die
Wissensgüter von einst, die bildeten ein – jedoch nicht
überzubewertendes – Problemfeld, gelegentlich, beim
alten Filmstar, der wieder dank seiner glücklichen Natur
nicht ins Grübeln kam, sondern dachte: Man könnte
einmal wieder eine hübsche Reise unternehmen, warum
nicht nach Nürnberg, und er wollte gleich seiner Frau das
Ergebnis dieser Gedankenverbindung unterbreiten.
Auch schön, dieses Lebensgefühl, jederzeit an einen re-
nommierten Platz auf diesem Planeten fahren zu können.
Auf größere Entfernungen legten der alte Filmstar und
seine Frau keinen Wert mehr. Darüber, wie viel Geld

faktisch vorhanden war – angelegt in Pfandbriefen, Kupfer-Aktien und wie sonst? – besaß nur ein Angestellter der Deutschen Bank genaue Kenntnis, ein Mann des Vertrauens, der den Eindruck von gut assortiertem finanziellem Hintergrund vermittelte; über ungefähr 5000 Mark Bargeld monatlich verfügte der alte Filmstar so frei, als wäre er noch das kleine Kind vom Anfang des Jahrhunderts mit winziger Barschaft aus den Händen eines Vaters, der an seiner Statt für Zuwachs sorgte.

Der Vater, Kaufmann Heinrich Hönker. Der alte Filmstar besaß nur gute Kindheits-Eltern- und Jugenderinnerungen, und mit Übereinstimmung hatte es auch zu tun, daß er niemals ernsthaft auf Ideen irgendwelcher Ratgeber unter Agenten und Filmleuten eingegangen war, seinen ziemlich landläufigen, gewiß unauffälligen, ja fast langweiligen Namen zu ändern. Heinz Hönker. Ja, aber als jemand, der so, ein wenig fade, hieß, dennoch bekannt und schließlich beliebt-berühmt zu werden, dem keine äußere Zutat dabei zu Hilfe kam, darin lag ein Wert in sich, und zwar war das der Wert der Zuverlässigkeit. Heinz Hönker hatte sich niemals als nur modische Zeitgeist-Eintagsfliege empfunden.

In den westdeutschen Fünfziger-Jahren war Heinz Hönkers Wechsel vom Liebhaberfach ins Rollengebiet des älteren, soignierten Herrn erfolgt, auch Väter spielte er gern, und aus dieser Zeit, der Heinz Hönkers Anhänglichkeit gehörte, stammten seine Besitztümer: das weißverputzte Haus, die Einrichtungsgegenstände, schmiedeeiserner Zierrat da und dort im Parterre zur Straße hin – einer Straße mit ähnlichen Villen in ähnlichen, angenehmen Grundstücken – und auch der Geschmack, nach dem der Garten angelegt war, beschwor dem alten Filmstar bei jedem Blick dorthinein bessere Tage, deren Angedenken ihn aber nicht erbitterte, herauf, ja freundschaftlich her-

auf. Die Hönkers bewohnten eine Gegend zum Promenie-
ren, und jeden Schritt trug der Geist eines Kuraufenthalts.
Die beiden sprachen sich oft und in nicht allzu vielen
Worten über die Erfreulichkeit aus, mitten im Alltag doch
nie ein Gefühl von Ferien loszuwerden.

(Das Tessin? Oder doch Österreich? Das Salzkammergut:
entscheiden wir uns für das Salzkammergut. Obwohl
damit die kleinen Ausflüge nach Ascona zum Zeitungs-
kauf und einem Cappuccino leider entfallen.

Der See ist unerläßlich und ziemlich berühmt. Am Nord-
ufer, zu dem von Süden und Westen her die Sonne viel
Zugang hat, laden Spazierwege zwischen Blumenrabatten
und kurzgeschnittenen Thujahecken zum Flanieren ein,
Bänke in regelmäßigen Abständen zum Ausruhen, zum
Landschaftsbetrachten, Plaudern mit Nachbarn, Zufalls-
treffern unter den Passanten.)

Mit ein paar Tanzschritten, mehr Andeutungen, denn er
hielt ein Frühstückstablett in den Händen, näherte der alte
Filmstar Heinz Hönker sich seiner Frau, die wie jeden
Morgen ihrem Hang zu langem Herumliegen, ehelichem
Bedientwerden nachgab, was ganz in Heinz Hönkers Sinn
war, unter anderem deshalb, weil es sich dem Gesetz gewis-
ser Filmhandlungen beugte, in denen er sich hervorgetan
hatte, und so, wie in Filmen von früher, gestalteten die
Hönkers ihren Tagesablauf. Eigentlich ohne Absichtserklärung. Es ergab sich. Es schien ihnen nichts ausschließlich
realistisch. Immer war ein wenig Künstlichkeit im Spiel.
Stichwort SPIEL! Sie hätten es nicht erklären können, die
Hönkers, oder sich selber als Lebenskünstler ausgegeben,
bei ihrem Talent, es so zu sehen: allem Hin und Her zwischen
Aufstehen und Zubettgehen wohnt das Gespielte inne.

(Wird manchmal von einem »Drehbuch des Lebens«
gesprochen? Und wird nicht bei warmem Wetter im
Freien gefrühstückt? In einem podestartig zum Sitzplatz

gestalteten Abteil ihres gärtnerisch gut versorgten Gartens? Auf offener Terrasse? Schwingt sich die Ehefrau Hanni nicht in der Sitzschaukel mit Baldachin? Gab es früher hier draußen einen Telephonanschluß? Jetzt ruft, seit Jahren, der Agent, mit dem die Hönkers mehr als beruflicher Kontakt verbindet, nur noch selten an, und es ist dann auch nie eilig.)

Wo immer sie frühstücken, das Tablett ist von der Art sehr kleiner Tische, es ist ein Tablett auf vier kurzen Beinchen, und in Filmen werden über Leute im Wohlstand solche Tabletts auf Betten gesetzt, und eine im Bett liegende Person richtet sich in den Kissen auf, prüft das Angebot, läßt sich bewirten . . . aber das ganze Frühstück, in seiner naturalistischen Dauer, sieht man nie.

Gut geschlafen? Schlecht geschlafen? Aus einer schlechteren Nacht machen die Hönkers eine *nicht ganz ideale Nacht* und demnach keine Tragödie und eigentlich immer Vollmond, Neumond verantwortlich. Post gibt es heute keine, rief Heinz Hönker wie zur Belustigung Hanni zu, womit er schon etwas eher Betrübliches umwandelte. Als trotzdem ein Moment der Leere sich aufzutun drohte, kam ihnen gleichzeitig die Idee, Posteingang zu spielen. Das wurde erheiternder als die Lektüre von wirklich an sie adressierten Briefen und Kartengrüßen. (Honig und gekochte Eier fehlen nie bei Hönkerschen Frühstücksmahlzeiten – was wird noch verzehrt? Zu satt wollen sie sich nicht essen, es ist und bleibt ein deutsches Frühstück, das sie zu sich nehmen, und für frische Brötchen – sagen sie »Semmeln«? – haben sie viel übrig. Die langjährig an den Hönkerschen Haushalt gebundene Haushälterin kümmert sich darum, zwei Brötchen für jeden, und sonntags gibt es einen leichten, weißlichen Kuchen, der sich zum Bestreichen mit Butter und Marmelade eignet – sonntags könnte der Honig fehlen.)

Der alte Filmstar rasierte sich und schaute in sein vom vielen Zufriedensein lädiertes Gesicht, in dem von jeher sehr viel gelächelt worden war. Fast wie durch Schmisse zerschnitten um den Mund herum sahen diese chronischen Schmunzelecken aus. Im Ankleidezimmer ersann Hanni Hönker etwas Leichtes, Luftiges, Blumiges für den heutigen Tag, der tropisch zu werden versprach, so daß die Hönkers ihren kleinen Vormittagsbummel vorverlegten, um vor der Mittagsglut wieder zu Haus zu sein. Schatten warfen die erwachsenen Pflanzen des Gartens reichlich. Schlendern wir ein wenig bis zur Bankfiliale und kehren auf einen Kaffee bei Antonio ein? Die Hönkers spürten die regelmäßige und geradezu gestalthafte Langeweile, mit der Tag für Tag durch ihrer beider Eingriffe umgegangen werden mußte. Mit ihren Gliederungsmöglichkeiten kannten sie sich aus. Die kinderlosen Hönkers hatten es in früheren Zeiten angenehm gefunden, von Heinz-Hönker-Anhängerinnen – kaum Männer dabei – bisweilen fast belagert zu sein: wirklich sehr lang her. Vor ein paar Jahren war es noch einmal zu einem Aufschwung der Vorlieben gekommen. Ich habe fünfeinhalb Freundinnen, hatte Heinz Hönker damals herumerzählt, ganz junge Dinger, richtig erstaunlich. Weil aber ausgerechnet damals ein Schub im Alterungsprozeß bei Hanni stattfand – bei Heinz Hönker verhielt es sich ähnlich, jedoch zu seinem Vorteil, er gewann durchs Älterwerden – und weil Hanni Bekanntschaft mit der Eifersucht machte und es einfach nicht gewinnbringend fand, mit Heinz zusammen diese Freundinnen beispielsweise auf dem Tennisplatz zu beobachten – schade um den netten Ausflug – und die sich in Umarmungen und bei Küssen nicht wohl genug fühlte, hatten beide Hönkers beschlossen, ja: alle beide, die Notbremse zu ziehen. Heinz Hönker ersann gern Gleichnisse und war überhaupt nicht frei von Ambitionen. Zum

Schreiben seiner Memoiren konnte er sich dennoch nicht durchringen. Freunde von früher, Freunde aus der Zeit, knapp gewordene Freunde, die hielten ihm manchmal eifrigere Kollegen vor, in aller Freundschaft, versteht sich. Mach dich ans Werk, los los, alter Junge! Heinz Hönker lauschte solchen Aufmöbelungen gern. Kurz fühlte er sich dann – abends bei Rot- oder Weißwein entweder am offenen Kamin oder in der Sommerveranda – nahezu omnipotent, der gesamte Lebensstoff drängte heran, umfangreiches Vokabular stände zur Verfügung, die Wörter und die Personen und die Filme und die historischen Fakten warteten neugierig auf ihn, Heinz Hönker, an einem Morgen mit gut durchblutetem Hirn – aber die beste Kondition verleitete doch jedesmal wieder dazu, die Sitten des Vortags genaustens einzuhalten: mit Frühstückservieren, Herumschlendern im Garten und am Seeufer, wo alle Leute so aussahen, als seien auch sie gerade eben erst aus ihren Behausungen hervorgekommen, ganz so wie die Hönkers.

Heinz Hönker wußte es von sich: etwas schreibfaul war er sowieso. Damals, als die jungen Freundinnen aufgegeben worden waren, da hatte er sich zwar, offiziell gesehen, ein wenig geopfert – kleiner, aber doch nicht ganz gewichtloser Verzicht auf Abwechslung, Amüsement, Hübschheit, immerhin – aber eine angeborene Bequemlichkeit auch in Beziehungen zu anderen Menschen hatte Heinz Hönker das erleichtert, wozu er auch *den Rückwärtsgang einlegen* sagte. Einer wie er erwies sich wie fürs Altwerden geschaffen. Ihm lag alles Gemäßigte, müßig war er gern, und gelangweilt zu sein, das zog er zu jeder Zeit größeren Anstrengungen, Belastungen, Anläufen vor.

Wie gut sie zu ihm paßte, Hanni Hönker, wie genau sich Übereinstimmungen aufeinander eingespielt hatten!

Gegen ein Uhr das Mittagessen, im Sommer erst recht nichts Schweres. Der Mittagsschlaf, eingefädelt von der Zeitungslektüre. Aus Liebe zum Schönen und Wohllebigen gliederten den Nachmittag zwei Sitzgrüppchenstationen. Die erste Rast entstand durch einen Cappuccino, am heutigen heißen Tag trotz der Hitze, einfach weil Sommer so etwas Wunderbares war, am kühlsten Platz des Gartens, zwischen Ligusterhecke – ach: der Duft! – und unter dem Laubdach des Nußbaums. Zu besprechen gab es nicht viel, doch schien es den Hönkers nicht so. Die menschliche Kultiviertheit hielt, zweitens, um siebzehn Uhr – besser gesagt: five o'clock – das Ritual *Tee mit Toast* bereit. Nicht viel Toast, weil es die Hönkers bekümmerte, appetitlos um neunzehn Uhr dreißig beim Abendessen zu sitzen, zum Dessert dann immer in den kleinen, das Rokoko im Boudoirstil imitierenden Fernsehsesseln, pünktlich den abendlichen Nachrichten aus aller Welt zugetan.

An diesem Tag nahmen sie – denn mit dem Gewinn der Ausnahmen von der Regel kannten sie sich so gut aus wie damit, die Macht der Gewohnheit grundsätzlich als das Bekömmlichste einzuschätzen – in ihrer Loggia mit Seeblick zum Tee nicht Toast, sondern jeder aß drei Petit Fours, und Heinz Hönker frönte dabei wie jedesmal, wenn die Haushälterin für Petit Fours gesorgt hatte, seiner Neigung, den Dingen auf den Grund zu gehen, und deshalb erklärte er Hanni Hönker die Herkunft des Wortes FOUR. Ganz gut, daß darüber nie letzte Sicherheit zu erzielen war.

Zum gewohnten Bummel ans Ufer oder ins Städtchen war es dann aber doch zu heiß, und deshalb beschlossen sie, im Keller des Hauses, der ein Kinozimmer enthielt, zwei Filme anzuschauen: einen mit Heinz Hönker in der Hauptrolle, »Das Liebesbüro«, den zweiten ohne Heinz Hönker, aber auch ohne Konkurrenten aus der damaligen

Ära, »Quacksalber der I.«. Ermüdet vom Vergnügen beschieden zweieinhalb Stunden später die Hönkers ihre Haushälterin, sie möge sich einen schönen freien Abend machen, denn ihnen beiden, den zwei Gehaltenen, gut Gepflegten, stehe der Sinn nach einem Abendessen im Restaurant.

(Italienische Essen schätzen sie zwar auch, aber geht es in italienischen Lokalen nicht doch ein bißchen zu schnell über die Bühne, das kleine Fest, ein altes Ehepaar beim gemeinsamen Essen und Trinken?)

Sie haben sich nochmals umgezogen, wie so oft zum dritten Mal an einem einzigen Tag. Im Fernsehen gibt es abends mit etwas gutem Willen auch immer etwas zu wiederholen oder neu zu lernen, und es gab an diesem Abend ein Feature über Zisterzienser-Klöster und ein anderes Feature über die Anden, und drei Nachrichten-sendungen absolvierten die Hönkers ebenfalls. Müde waren sie in der exakt für gutes Einschlafen bemessenen Dosierung, und wie jede Nacht empfanden sie dankbar, daß man alles im Fernsehwohnzimmer so liegen und stehen lassen konnte, wie es war, Gläser, Aschenbecher, Gebäcknäpfchen, und daß die Daunendecken ihre Körper angenehm und leicht umschlossen, und wie gut und gesund es war, so zu wohnen wie sie: bei offenem Fenster zu schlafen, nützte ihrer Gesundheit, Einbrecher mußten nicht befürchtet werden, denn das Anwesen, dessen Ge-wächsen und Grasflächen die bekömmliche Nachtluft zu verdanken war, wurde aufs Beste geschützt, erstens durch eine zweckmäßige Mauer und zweitens von der örtlichen Wach- und Schließgesellschaft nach dem Intensivtarif.

Dankbares Einschlaflied, wenn die Hönkers ihre Plus-punkte durchgingen. Dankbar, wem? Es wurde Zeit, zu existenzphilosophischen Resultaten vorzustoßen. Ich war nie ein Nazi. Ich war im Felde. Resumées wie diese zog

Heinz Hönker, ehe er sich aus der Rückenlage auf seine linke Körperseite wälzte und dazu immer dachte: Schon so alt und kann noch immer auf seinem eigenen Herzen liegen. Merkwürdig nur, wie wenig weiter er kam auf dem Pfad, der zugleich zurück und doch auch nach vorne führen sollte. Gottes Schutz befahl er Hanni an und heute nacht noch die armen Leute, die er im Film über die Anden gesehen hatte. Bald wäre es so weit, und er schliefe. Er litt ein wenig unter der lästigen Angewohnheit, alle physikalischen Erscheinungen erklären zu wollen, und jetzt handelte es sich um ein Dreieck aus hellem Mondlicht, das aus irgendeinem Grund – den er Hanni offenbaren wollte – auf die Schlafzimmerkommode fiel, und Heinz Hönker räusperte sich.

Du würdest es nicht für möglich halten, Hanni, aber dieses kleine Lichtdreieck wird vom dritten Querbalken der Pergola verursacht, beziehungsweise vom rechten Winkel zum Balken, mit dem . . .

Aber das will doch keiner wissen, unterbrach ihn Hanni, womit das Unerwartetste geschah, das in einem Hönkerschen Mitvollzug der irdischen Umlaufstrecke geschehen konnte. Stilbruch. Gähnen.

(Streichen wir diese Stelle aus. Ich glaube nicht daran, daß es vorkommen könnte, auch nicht aus Müdigkeit. So fahrlässig ist keiner von ihnen. Sie benehmen sich auch noch in der Nacht so, als hätten sie Anweisungen von einem Tanzstundenlehrer für den Fall des Einschlafens erhalten.)

Richtig war, daß Heinz Hönker sehr wohl die Herkunft vom kleinen Lichtdreieck erklärte, und daß Hanni dazu schwieg, während sie zugleich zuhören und an ein weißgraues Sommerjackett denken konnte, das ihr seit vorgestern ins Auge stach, und anschließend war sie zur schmachtenden Stimme mit der Äußerung imstande:

Und wenn man denkt, was aus dir außerdem noch hätte werden können! Ein Physiker, Heinz! Aber was wurdest du? Ein Idol. Wirklich phantastisch! Fabelhaft!

Und du, meine Kleine, du hättest es ohne weiteres zur großen gefragten Kosmetikerin und wahrscheinlich auch Modeschöpferin gebracht, wenn wir mal deinen wunderschönen Sopran vergessen, antwortete Heinz Hönker und fügte hinzu, was er neulich auf einer Party von einem netten feinen Greis gelernt hatte: Sehr interessant! Sehr attraktiv!

Der alte Herr und sein mit acht Jahren wegoperiertes Trommelfell kam ihm plötzlich beneidenswert vor. Besonders im Hinblick darauf, daß er über eine nur 4 Jahre ältere Schwiegermutter verfügte . . . oh nein, das Beneiden, das war ihm unbekannt und wesensfremd.

Hanni Hönker fand am nächsten Morgen, sie habe tatsächlich eine Begabung fürs Schminken, doch diesmal wirkte ihr Gesicht wie aus lauter einzelnen Pappmachéteilen zusammengeklebt. Bei Hanni Hönker war ein autobiographisches Unwohlsein gelegentlich im Programm, nur Heinz Hönker blieb auf geheimnisvolle Weise von allem Unzufriedenmachenden verschont, und so steckte sie ihn auch nicht an, wenn sie nun sagte:

An irgendeine Art der Beschäftigung zu denken, ich weiß nicht recht, mein Lieber, aber ob es nicht sogar auch für uns eines Tages opportun wäre? Verletzen möchte ich dich nicht, doch wenn man so absolut gar nichts arbeitet . . .

Sie verletzte ihn ja nicht. Er erwiderte:

Sehr interessant! Sehr attraktiv! Und es trifft sich gut, daß ich sowieso schon beim Rasieren den Gedanken anpeilte, eventuell heute Gas zu geben, du ahnst schon, worauf ich hinaus will . . .

Hanni Hönker ahnte nichts, aber sie gab sich orakelhaft und stöhnte und gurrte ein wenig.

Im Vorwärtsgang oder sagen wir mal im leichten Trab geht's nachher ans Notizenmachen, an den Schreibtisch, versprach Heinz Hönker, der nun ein Potpourri der liebenswertesten unter ihren gemeinsam geliebten Oldies pfiff.
Am Schreibtisch saß er gern immer einmal wieder. Zünftig fand er das Glas Sherry in der rechten oberen Schreibtischecke. Er betrachtete sich mit Hanni im Arm aus dem Jahr 1952 im schräg aufgestellten Photo, das in einem versilberten Wechselrahmen steckte. Autogrammwünsche mußten keine mehr erfüllt werden. Alle Post ist geschrieben, dachte Heinz Hönker, und dann wieder: Ich war nie ein Nazi. Ich war im Felde. Was war denn früher noch gewesen? Er wurde furchtbar müde, als ihm einfiel, daß er ein kleines Kind gewesen war, zwei Brüder und eine Schwester gehabt hatte und Eltern: es war ganz verrückt, so lang wie er zu leben und ausgerechnet daran zu denken: ans Schaukeln in einem Sommergarten – wozu? Und wie kamen Sie zum Film, Heinz Hönker? Übers Theater? Wie war es denn genau? Wer hat Sie entdeckt?
Diese jungen Spunde fragten ihn längst nach gar nichts mehr. Vor zehn Jahren, da hätte er vielleicht noch so einiges zusammengebracht an Erinnerungen, Geschichtchen . . . die Wahrheit war – der alte Filmstar nippte vom Sherry – daß er überhaupt nichts mehr wußte. Und er wünschte, es dabei zu belassen.
Er konnte aus seinen eigenen Filmen jederzeit die Mimik »Irritation/leichte Verärgerung« in sein freundliches und weiches Gesicht verfrachten, und so zeigte er sich nun Hanni, die ihm sein elf-Uhr-vormittags-Schreibtisch-Zigarillo servierte.
Es belastet mich, verstehst du, sagte er. Dieses Heraufbeschwören von Früherem, es hat etwas von Qual. Obwohl ich weißderhimmel nichts zu beklagen habe, ich fördere nichts Übles – und dennoch!

Ehe er aber noch länger zu schwindeln gezwungen war, meldete die Haushälterin Besuch. Wie interessant! Sehr attraktiv! Fabelhaft! Die Hönkers freuten sich über diese Strukturgebung von außen, einerseits. Andererseits zogen sie, nach über 50jähriger Ehe, noch immer eine Spur angstvoll sogar das Sichlangweilen unangemeldeten fremden Menschen vor. Daher atmeten sie erleichtert durch, als der Gast sich zu erkennen gab und in der wohlvertrauten pferdeköpfigen Gestalt der Frau Schmelz aus der Eichendorff-Straße auftrat. Braunmitschwarz gemustertes Sommergewand, die Ärmel begannen schon am Gürtel, so daß der alte Filmstar sich irrtümlich für einen hielt, der umarmt werden sollte: Frau Schmelz hatte ihm aber nur den rechten Arm zur Begrüßung hingehalten und den linken Arm von sich gestreckt, weil sie unter den Achseln schwitzte und die abgespreizte Armhaltung etwas Hochsommerliches und auch Dramatisches vermittelte. Mißglücken und schiefe Landung eines Filmküßchens durch Heinz Hönker.

Wollte soeben einige Aufzeichnungen vornehmen, so einiges mal aus damaliger Zeit ans Tageslicht hieven, erzählte er und auf einmal wußte er, messerscharf war dieser Eindruck, daß er diesen Augenblick und zwar genaustens diesen schon einmal, wenn nicht schon viele Male erlebt hatte. Erlebte er ihn womöglich täglich? Oder doch einen über den anderen Tag? Wenn er und Hanni nicht den Uferpromenaden- und Antonio-Café-Besuchs-Vormittag abstatteten? Und wie in der Urfassung des Augenblicks fragte jetzt Frau Schmelz, wobei sie ihr Kaltblüter-Gewicht im Sesselchen nach vorne verlagerte und ihr Trakehner-Gebiß bloßlegte:

Sie haben doch auch irgendwelche Wurzeln im Osten, mein lieber Hönker?

Beim Henker, nein!

Sie Wortspieler, rief Frau Schmelz. Ich selber hätte nie eine derartige Anspielung auf Ihren Namen gewagt.

Sehr attraktiv, rief der alte Filmstar, fühlte wieder seine Bequemlichkeit, wünschte keine Änderungen mehr, und eigentlich war er ganz aus dem Stegreif furchtbar müde, ganz unvermittelt. Wie in *Die andere und der Eine*, als man ihm diesen Trunk verabreichte, erinnerte er sich gerade noch, und ihn wunderte, wie viel ihm plötzlich von früher einfiel ... Was er ebenfalls noch wahrnahm, war Hannis kosmetisch verkleistertes, hochprekäres Gesichtchen und in Frau Schmelz erstand eine gleichsam neuerfundene mythologische Figur, ein Mischwesen aus flügelbewehrter Fledermaus und großem gewaltigem Pferd, aussterbende Rasse, von fernen Bauernäckern her, Kindheit ... und irgendwas wollte sie an ihm verüben, retten, du lieber Himmel: was ging denn vor? Bin ich eigentlich nun gläubig oder nicht? Wo doch alles andere auch stimmt? Ich war im Felde – und weiter? Da gab es doch mindestens noch einen Slogan ...

(Laß es bitte nicht traurig ausgehen, hörst du! Laß es überhaupt nicht ausgehen, es muß weiter- und weitergehen.

Sylvia, die im 6. Semester Jura studierte, fixierte ein Spinnennetz, das sich schräg über den kleinen Torbogen im Innern des Rollpults spannte. Alte Fliegenflügel steckten im Netz. Wie verdammt schmutzig es bei uns ist, wie saumäßig verdreckt, dachte sie. Telephonieren konnte es heute, am dritten Tag der dritten Julihitzewelle, auch überhaupt nicht mehr. Wie bei den Hönkers, sagte sie zu Kuno, der an diesem Tag so wenig wie an den zurückliegenden Tagen um einen Satz in seiner Magisterarbeit über August Strindberg weiterkam. Häusliche Hilfskräfte verwehren es den Hönkers, jemals alte Fliegenflügel in alten Spinnennetzen zu sehen, und sie haben natürlich kein

Rollpult, und es liegen keine Manuskripte und alte Schinken und Nachschlagewerke bei ihnen herum, und sie ahnen gar nicht, wie ein ungepflegtes Badezimmer aussieht und eine Badewanne, über der Wäsche zum Trocknen hängt und wie eine Großstadtstraße vom dritten Stockwerk aus an einem Tag mit 31 einhalb Grad Hitze riecht ... erzähl weiter, Kuno! Beschreibe die Gartenmöbel! Sind es weiße? Aber gewiß doch, absolut weiße, jährlich ein frischer Anstrich, und auch der freundliche, sein Handwerk in altmodischer Treue liebende Weißbinder, der den Hönkers – keine Schwarzarbeit – zu Diensten ist, auch der stirbt nicht aus, so wenig wie die Haushälterin, die nun, es wird Spätnachmittag, für Apéritifs sorgt ...

Sylvia rief aus der Kochnische Kuno zu:

Was möchtest du, Campari oder Cynar?

Cynar, rief Kuno.

Aber es klang für Sylvia wie »Egal«, und um den Hönkers nah zu sein, richtete sie zwei Gläser mit Eiswürfeln und Campari, denn sie empfing es wie eine Erleuchtung, daß die Haushälterin den Hönkers halbierte Zitronenscheiben in die Glasränder stecken würde – oh verflucht! Eine Zitrone war verschimmelt: undenkbar für die Küche der Hönkers. Die andere Zitrone hätte sich geeignet, doch auf einmal war Sylvia einfach zu faul, um sie zu präparieren und ihre Gläser damit zu schmücken. Es genügt, von solchen Sitten und anderen harmlosen Garnierungen zu erzählen, immer weiter, fand sie, und sie trug ihre naturalistischen Gläser ins Arbeitsabteil der winzigen siedenden Wohnung.

Ich hatte CYNAR gesagt, murrte Kuno.

Heinz Hönker würde DANKE MEIN LIEBLING sagen, antwortete Sylvia.

Doch nicht zur Haushälterin, sagte Kuno.

Filmstar müßte man sein, sagte Sylvia. Unsterblich müßte man sein. Heut ist es zu heiß selbst für die Hönkers. Was machen Sie? Keiner ruft an, also bitte.)

Heinz Hönker ging selten nur in Hemd und Hose auf die Straße, aber bei 31 einhalb Grad Hitze im Schatten gestattete er sich diese Lässigkeit, und er brauchte ja auch nur, schattengeschützt in der Stresemann-Anlage, bis zur Telephonzelle zu gehen. Nein, sein eigener Telephonanschluß war absolut intakt, nicht deshalb suchte er die Telephonzelle auf. Im gesundheitsabträglich heißen Innern wählte er seine eigene Nummer. Dreimal das Rufzeichen, ach wie rührend neugierig von der guten alten kleinen zeitlosen Hanni, sich trotz des Klimas so beeilt zu haben.

Hallo? fragte sie, und er hörte eine eigenartig zu Herzen gehende Sehnsucht aus ihrer Stimme in sein Gehör dringen.

Hallo, sagte er selber nun auch.

Wer spricht denn da? fragte seine Hanni.

Und: sollte er es wirklich verraten?

EIN UNENTBEHRLICHER PATIENT

Der Nächste war ein kleiner Mann von ungefähr 60 Jahren, mit völlig schiefen Schultern, schräg nach rechts verschobenem und auf die Armkugel geklemmtem Hals. Das pastöse Gesicht in bleicher Haut zeigte einen kläglichen, enttäuschten Ausdruck und zwar unmittelbar über dem vorgewölbten Rumpf. Von vorne war kein Hals zu sehen. Ein Schlips hing aber über der Knopfleiste des Hemds und war werweißwo gebunden. Aus entzündeten kleinen Augen schaute der Nächste betrübt und schwitzend, ja offensichtlich trug die Hochsommerhitze einiges an schwer erträglichem Belastungsmaterial zum unglückseligen Gesamteindruck bei, den dieser späte Nachmittagspatient erweckte. Mit der Kleidung aber, im Freizeit-Stil mit gehäkelten Einsätzen, Normware, Ramsch, hatte der Mann sich um einen fröhlicheren Anstrich bemüht. Vermutlich besaß auch so einer eine Ehefrau, die beim Einkaufen heiteren Phantasien erlag, in denen sie einen ganz anderen Kerl an- und auszog.

Sie heißen also Räuber, Rupert Räuber, fast eine Unverschämtheit, wie? rief Doktor Gottheimer dem kleinen Mann zu. Nun kommen Sie schon näher, los los!

Gehen konnte er auch schlecht. Er tappte vorwärts in die Mitte des Sprechzimmers, und setzte sich mit dem Gehabe scheuer Servilität in den Besuchersessel. Doktor Gottheimer fuhr ihn nach einem zweiten Überblick an:

Was wollen Sie? Sie glauben wohl, einer wie Sie braucht gar nicht erst den Mund aufzumachen. Womit Sie nicht Unrecht haben. Ach, Herrgott nochmal, beim Henker, ich kann es mir denken, was Sie von mir wollen. Nicht sehr originell, mein Lieber, sofern Sie wünschen, daß ich Sie geradebiege

oder dergleichen. Sie haben von den Gefahren der Chiro-
praktik gehört? Sich ausreichend Kenntnis verschafft?
Doktor Gottheimer empfand nun schon wieder diese
zehrende Sehnsucht nach einem Schluck aus der Flasche.
Das heute, das war ein deklarierter Vodka-Tag. Diese
trockene Hitze hatte etwas Sowjetrussisches. Bei Schwüle
zog Doktor Gottheimer Whisky vor, an gewissermaßen
amerikanischen Tagen. Rechts im Schreibtischunterteil
befand sich die Whiskyflasche – und Doktor Gottheimer
glitt in die Rolle irgendwelcher kalifornischer Detektive,
wenn er sich der Flasche bediente – und links, ganz so wie
es sich politisch gesehen gehörte – wurde sein Vodka
verwahrt. Bald bald . . . bald . . . es sang im hitzebenom-
menen Hirn vom Doktor . . . »warte nur, balde . . .«
Der kleine Mann sah überrascht aus und aufgeweckter als
vorher, und diese Gemütsregungszutaten bewirkten
schon, daß ihm, seiner Physiognomie nach zu urteilen,
mittlerweile wohler war als im Moment seines Eintritts ins
Sprechzimmer. Neugierig wartete er ab, ob der Arzt noch
mehr Barsches und Verblüffendes äußern werde. Als
nichts kam, erhob sich der kleine Mann, jedoch nur, um
seine am Körper festgebackene Kleidung ein wenig zu
lüpfen. Halb gekrümmt stand er, zerrte am Gesäßteil
seiner braunen Hose, setzte sich dann wieder.
Im Sprechzimmer war das Licht glasig vor Hitze. Jeder
Gegenstand verströmte seinen ihm eigentümlichen Geruch.
Wir messen heute 33 Grad im Schatten, und da stellen Sie
sich vor, es handle sich um einen geeigneten Tag für eine
ärztliche Konsultation!
Doktor Gottheimer schrie nicht mehr, aber er redete laut
und bewegte dabei seine großen roten Hände auf und ab
und manchmal hob er das Kinn, er schob die Kinnlade von
rechts nach links, von links wieder nach rechts, als wollte

er einer gelenkrheumatischen Ansteckung vorbeugen und nicht wie der Patient, sein Gegenüber, festklemmen. Er spürte, daß seine von keinerlei Haaren verunreinigte Schädeldecke naß war, und sehnte sich nach dem Fläschchen links im Schreibtisch. Ein kommunistischer Tag, ein Klima, um die Staatspolizei zu alarmieren! Verflucht nochmal! Aber Ausnahmezustände genoß Doktor Gottheimer auch. Er sagte in etwas gemäßigterem Ton:

Meiner Ansicht nach verlangen die Menschen zu viel von der Medizin. Sie erwarten von der Medizin letztendlich Unsterblichkeit, daß sie, die Medizin, Unsterblichkeit ermögliche. Sie aber, Herr Rupert Räuber, Sie sind ein Häufchen Elend, um es volkstümlich zu formulieren, und sterblich bis dorthinaus.

Doktor Gottheimer deutete in die Richtung des Fensters zur Straße. Braune sowjetrussische Hitze. Ihm stand der Sinn nach Schwadronieren und Herumfuchteln und Moralpredigen.

Sie verlangen von der Medizin etwas vollkommen Sinnloses und Überflüssiges obendrein. Sehen Sie sich nur selber ausführlich an: außer daß Sie schief sind, heillos falsch gebaut, sich falsch ernähren, die verkehrten Gedanken denken und immer auf halber Strecke umkehren, oder einfach stehen bleiben, außer daß Sie sich nie in Ihrem ganzen kleinen Leben richtig gepflegt und bewegt haben, außer all dem Mißlichen fehlt Ihnen nichts, aber Ihre schlechte Gemütsverfassung verführt Sie zu einer Überbewertung Ihrer drei bis vier Malaisen. Einstellung, mein Freund! Kopf hoch! Pardon! Das funktioniert nicht. Also heben Sie wenigstens den inneren Kopf. Ganz so wie von einem inneren Schweinehund gesprochen wird, so könnte man sagen, verfügen wir Menschen auch über einen inneren Adler. Ja, jawohl, mit Adler gefällt mir diese Metapher wahrhaftig sehr gut. Noch ein anderer Gedan-

kengang, Herr Räuber: Menschen wie Sie sind unentbehrlich im Straßenbild einer Stadt. Ich sah einen wie Sie,
möglich, daß Sie selber der geduckte Mensch waren, den
ich auf dem Weg zu meiner Praxis fast überfahren hätte,
halb drei, kommt das hin, am Alten Theater, beim Park-
platz an der Ruine vom Alten Theater, in der schattenlose-
sten Zone unserer Stadt, exakt unter der Sonne, na und?
Zu spüren, wie wichtig Personen Ihrer Spezies für ein
Stadtbild sind, kam einer Erleuchtung gleich. Na und?
Von Ihnen hört man herzlich wenig.
Der Patient wurde unruhig, nutzte die Atempause des
Doktors und sagte:
Ich bin nicht ganz Ihrer Ansicht. Menschen wie mir,
kranken Menschen, gehen Arbeitsstätten verloren, und sie
haben am Vergnügen der Mitwelt keinen Anteil.
Sie heißen? Der Doktor mußte husten, weil er fast ge-
schrien hatte und dafür, wie eigentlich auch für seine
übrigen Temperamentsbrandungen, war es viel zu erstik-
kend heiß. Räuber! Hat man so was gehört. Allein Ihrem
Namen überlassen, würde man auf einen vollkommen
gegensätzlichen Phänotyp schließen. Was glauben Sie, hat
Ihre gute Mutter sich erträumt, für Sie als Sie ein Säugling
waren . . . als Ihre Mutter Ihren Vater erkor, vielleicht
unter einem größeren Angebot gerade ihn, den RÄU-
BER . . . na und? Was steht noch auf Ihrer Karte? Alter:
62. Dachte ich's doch. Die Welt steht Ihnen nicht mehr
offen. Was wünschen Sie? Sehen Sie, das ist eine absolut
neue Erkenntnis von mir, gewonnen auf meinem Weg zur
Praxis: einige Handvoll der üblichen Gebrechlichen und
Beschädigten benötigt ein Stadtzentrum. Wie öde und wie
gesichtslos wäre ein Stadtkern, wenn nur Gesunde ihn
durchtrabten, drahtige Leute, in Turnschuhen, frisch ge-
schnittene Haare . . .
Die Schreibtischplatte des Doktor Gottheimer war von

wochenlangem Verstauben filzig. Wo kein Staub lag, weil Doktor Gottheimer dort zuvor einen Gegenstand verschoben oder ein Stück Papier weggelegt hatte, gab es entweder einen Fettfleck zu sehen oder alte Trinkglasspuren markierten die Nutzfläche. Jeden Abend konnte Doktor Gottheimer sich gut vorstellen, mit wie viel Geduld und Zuversicht er selber höchstpersönlich eines baldigen Morgens hier aufräumen würde. Das geschähe an einem Samstag oder an einem Sonntag und zwar nach einem nächtlichen Gewitter mit ausgiebigen Niederschlägen, und eigens zum Ordnungmachen hätte Doktor Gottheimer sich in seine Praxis begeben. Er spürte, wie ihn dieser Gedanke sofort wieder ermüdete. Ihm war auch nicht ganz klar, ob es sich beim kleinen schiefen Mann im Besuchersessel um einen realen Anwesenden oder um eine Sehtäuschung im Zusammenhang mit Geistesverwirrung handelte. Vor dem Schnapstrinken litt Doktor Gottheimer – aber nicht ungern – gelegentlich unter Halluzinationen, besonders im Hochsommer. Daß der kleine Mann nun redete, einförmiges Zeug, auf das der Doktor nicht achtgab, bewies gar nichts. Das Zukunftsbild vom Ordnungmachen auf dem Schreibtisch drängte sich wieder vor. Doktor Gottheimer mußte gähnen. Immer bei solchen minimalen Durchblicken, die ihm wie in den Perspektive-Tricks alter Parklandschaften Zukünftig-Fernes in hübschen Genrebildchen anordneten, bemächtigte sich eine schwere, plumpe, gallertige Müdigkeit seines Körpers und seines Geistes. Er fuhr jetzt aber auf, denn der kleine Mann sagte mit mehr Lautstärke:
Aufregen möchte ich Sie damit bei Gott nicht, aber ich wiederhole: es geht mir keineswegs um meine äußere Gestalt. Obwohl ich Ihre Ansicht bezüglich meines Äußeren und dessen Nutzen für unsere Heimatstadt nicht teile, aber das wäre ein anderes Thema.

Wieso drückte sich ein Mensch wie dieser Kleingestaltete, ein Produkt aus der phantasielosen und mißgestimmten Phase seines Schöpfers, so gestelzt aus? Doktor Gottheimer unterschied nicht genau, ob der Mann oder womöglich er selber, Gottheimer, hier das Wort führte. Vorsicht trübte seine Stimme, argwöhnisch fragte er:
Und was, bitte, wäre dann Ihr Thema?
Ich bin hier, weil meine Arbeitsstätte . . .
Sie haben sie verloren, Mann, Mann Räuber, machen Sie mich nicht ungeduldig, rief Doktor Gottheimer und empfand wachsende Sicherheit. Meine Merkfähigkeit nimmt erst ab achtzehnuhrdreißig rapide ab, und eben zeigt diese Uhr hier siebzehn Minuten vor sechs. Wo fehlt's also, wo fehlt es denn? Sie erwarten doch nicht, daß ich Sie untersuche? Bei 33 Grad im Schatten und einem Anblick wie diesem, den Sie bieten? Bedenken Sie bitte: ich bin ein erfahrener Praktiker, ha ha. In übertragenem Sinn könnte man von Augendiagnostik sprechen, ha ha.
Ich möchte mir Rauchen und Trinken abgewöhnen, sagte der Mann und sah wieder ungenierter aus.
Ihre Schiefheit und Aufgedunsenheit macht Ihnen keine Sorgen?
Doktor Gottheimer empfand Abscheu. Dieser Mensch verkörperte die Verkehrtheit und er wünschte Unsinniges. Welch widerwärtige Konfrontation mit dem Kleinkram der Menschenwelt arbeitete sich aus dieser Begegnung hier im Sprechzimmer heraus. Spätnachmittage glichen oft alten Zwiebeln, deren letzte Häute sich abschälten. Verschimmeltes, modriges, unbrauchbares Inneres trat zutage.
Sie werden besser daran tun, zu rauchen und zu trinken. Wie viel mehr bietet Ihnen denn Ihr Leben? Sie werden staunen, wenn auch das noch entfernt ist, das Geschwür Ihrer kleinen Laster! Noch ahnen Sie nicht, wie langweilig

Ihre Tage auf Erden ohne eine sinngebende Einteilung durch die Schwankungen Ihrer Abhängigkeiten sich gestalten werden.

Der Doktor redete sich in Panik. Er schwitzte entsetzlich und nur die Vorfreude auf Schnaps hielt ihn in Schwung.

Sie werden das Glück vermissen, so wie das Unglück, rief er. Ohne das Unglück Ihrer Niederlagen – Sie besaufen sich gründlich – kommen Sie nicht in den Genuß Ihrer Siege: Sie verleben einen vergifteten Tag voller guter klarer Vorsätze.

Ich möchte gern ein reinliches glattes Leben führen, sagte der kleine Mann. Zwar behielte ich gern meine Leidenschaften bei. Aber wenn es mich meine Arbeitsstätte kostet . . . und die Belastung durch meine Heimlichkeiten, sie ist mir zu schwer geworden . . .

So gut er es konnte, richtete der Mann sich auf, nun sprach auch er in rufendem Ton:

Ich wünsche – seine Stimme überschlug sich und sein blasses Gesicht wurde himbeerrosa gefleckt – ich wünsche, von Ihnen geachtet zu werden.

Entgegen allen medizinischen Gesetzen hatte der Mann sich plötzlich in der Schulter-Halswirbelpartie bewegen können. Trotz der vernagelten Apathie seiner Züge glückte ihm ein leidenschaftlicher Ausdruck.

Von mir? Wieso das? Wie soll das zugehen, oder richtiger: warum denn sollte ich Sie nicht achten? In welchem Fall, auf was für ein Verhältnis bezogen?

Doktor Gottheimer zupfte an einem toten Insekt. Zwischen Rezeptblock und einem Ständer für Schreibstifte mußte es vor längerer Zeit verendet sein, nichtig wie es sich nun darbot, vom Staub bestattet. Der Doktor wurde wieder benommen, weil er ans Saubermachen und ans Aufräumen dachte. Seiner Gehilfin würde er heute Abend noch ankündigen, übermorgen wäre es so weit, und sie könne sich einstweilen auf Schwerarbeit beim Putzen einstellen. Beziehungsweise eine geeignete Person auftreiben. Bis dahin müßte, bei welcher international geprägten Hitze auch immer, die Abhandlung über das Thema *Der Mensch und seine verkannte Chance, krank zu sein* fertig zum Abschreiben vorliegen. Sommertrance. Russisch genügte nicht zur Kennzeichnung der klimatischen Bedingungen, und der Doktor murmelte:

Sowjetrussische Wetterverhältnisse, mein Lieber, aber außerdem fällt mir auf, daß Ihre Antwort auf sich warten läßt. Meine Zeit ist mein Kapital, was offensichtlich auf Sie nicht anwendbar ist.

Ich bin Ihr letzter Patient an diesem Tag, sagte der kleine Mann. Ich wünsche mir Ihre Achtung.

Und wie steht's mit der Selbstachtung? Verfügen Sie denn darüber, Selbstachtung? Chiropraktisch gesehen wäre, um bei Ihnen zu einem Fortschritt zu gelangen, einiges zu tun, äußerlich betrachtet jedoch nur. Riskieren Sie einen Blick aus diesem Fenster, werfen Sie Ihren Blick auf diese Szene ringsum. Unser Stadtbild so wie es sich von meiner Praxis aus ergibt, es gleicht einem schlecht gepflegten Gebiß. Ganze Straßenzüge sehen wie die Zahnreihen eines nachlässigen Menschen aus, voller Löcher, ekelhafter Zahnsteinverkrustungen, Kalkruinen, Brandmauern, Fassaden, von denen der Putz bröckelt, und dann ein pompöses Kaufhaus wie eine lächerliche Geldverschwendung an Jacketkronen und dergleichen. Eine Goldplombe, ha, Konsumentenparadies, unser mißgebildetes ELISEN-Center!

Doktor Gottheimer prustete vor Erschöpfung. War dieser unscheinbare Mann im Besuchersessel, dieses Nebenprodukt und Montagsauto, es denn Wert, von seiner, Gottheimers, schöpferischer Wut zu profitieren? Mit Spätnachmittagspatienten erging es ihm seit einiger Zeit öfter so wie jetzt mit dem schiefen kleinen Mann. So dringend der Doktor sich nach Beendigung der Séance sehnte – im Zusammenhang mit Durst – so unausweichlich verzettelte er sich aber auch in Tiraden, Abschweifungen. Der Kampf zwischen Überwachsein und somnambulen Tendenzen in seinem Bewußtsein entschied sich in dieser Runde nun wieder für ein Abgleiten in die Irrgärten seiner Trugbilder, und er merkte, wie er damit anfing, *Hush hush, sweet Charlot* zu summen. Diese Melodie stieg von werweißwoher in ihm auf. Das befremdete ihn kaum. Richtig erschrak er aber, als er jetzt hörte, daß der verschüchterte Patient mitzusummen begann, wobei er den Tränen nah schien, jedoch auch einen unverfrorenen Eindruck machte.

Haben Sie den Film unlängst gesehen? Doktor Gottheimer brach sein Gesumm ab, herrschte den Mann – den Eindringling plötzlich – an, schob dann wieder die Kinnladen hin und her aus Angst, wie der andere Mensch da gegenüber zu erstarren. Gleichzeitig hielt er es für angezeigt, einfach weiterzureden: 37 Jahre lang mit dieser Melodie gelebt, mit einer so bescheidenen Auswahl aus dem riesenhaft großen Musikangebot, die arme alte Charlot Hollis, alias Bette Davies . . . muß ja auf direktem Weg in den Wahnsinn führen. Das Zusammenleben mit einer Spieldose.

Aufwachen, aufwachen, gebot es in Doktor Gottheimers linker Kopfhälfte. Daß in der linken Kopfhälfte gerufen wurde, stand für ihn völlig fest. Links wo der Vodka wartet: der Doktor dachte wieder an die ersten Minuten seines Feierabends.

Sie haben also diesen Film gesehen? Unlängst? So antworten Sie doch! Was soll denn der Unfug hier in dieser ordentlich geführten Praxis? Ich liebe die Wissenschaft, das müssen Sie einfürallemal zur Kenntnis nehmen.

Gewiß gewiß, beteuerte der kleine Mann, der auf seinem Sitzplatz ruckte. Machte er Anstalten, aufzustehen? Doktor Gottheimer ergriff Furcht und Schrecken, ein paar Sekunden dauerte dieser Zustand nur an, aber die Nachwirkung war irritierend. Eben noch hatte er sich aufgehalten und absurd belästigt vom kleinen Mann gefühlt. Und jetzt schon kam dieselbe Anwesenheit ihm wie ein Liebesdienst vor, derselbe Mann, diese nebensächliche und winzige Kreatur, wie der Nächste, wie ein ganz Geduldiger an einem Krankenlager, und der Doktor sah ein Kindheitsbild vor sich: sein Bettchen war an ein Fenster zum Garten gerückt, er lag mit hohem Fieber in einem sonnenlichtdurchfluteten Zimmer und schaute auf seine still sitzende Tante Gustava, die gar nichts tat, nur stundenlang bei ihm ganz nah am Bett blieb. Der Doktor eilte sich mit einer Frage:

Wo erhält man diese sonderbare Maschendraht-Kleidung, ich meine Ihr Oberhemd da? Sie wollen doch nicht etwa aufbrechen? Ich bin zu keinen Resultaten gelangt, was Ihre Beschwerde betrifft. Also, wo erstehen Sie ein solches Zeug wie dieses Hemd?

Überall, Herr Doktor, man bekommt es überall, wo Sie wollen. Der kleine Mann beugte sich erstaunlich weit vor und sagte: Nennen Sie mich bitte nicht mehr *Monstrum*, wenn Sie so gut sein wollen, und für den Fall, daß es überhaupt noch zu Begegnungen zwischen uns kommen sollte.

An Ihnen gefällt mir – ja ich beginne, Sie liebzugewinnen . . . es gefällt mir, daß Sie in Rätseln sprechen, murmelte Doktor Gottheimer, dem auffiel, daß er zu schreiben anfing – er schrieb: »An Ihnen gefällt mir . . .« – und gleichzeitig nahm ihn die wohlbekannte, aber unheimlich-unheilvolle Müdigkeit in Besitz. Diesmal erblickte er in der Guckkastenszene zwischen den imaginierten Buschgruppen des Parks in seinem Gedächtnis Schwetzingen. Welche ähnlichen Parks wuchsen denn sonst noch in seinen Erinnerungen zusammen? – dort auf der winzigen entfernten Illusionsbühne erblickte er den kleinen Mann am Pult in seinem eigenen Vorzimmer. Richtig, er hatte diesen kleinen Mann davongejagt, ja, das war geschehen, ja richtig, und zwar nachdem er seine Gehilfin davongejagt hatte, diese schlampige und überge-wichtige Person, die demnach gar nicht übermorgen dar-über zu informieren wäre, daß nun geputzt werden könne, von einer wiederum hierfür geeigneten und der Gehilfin untergeordneten Person . . . »Hush, hush, sweet Char-lot/Sweet Charlot don't you cry . . .« Herr lehre mich doch, daß ich davonmuß . . . sagte Doktor Gottheimer. Hören Sie mal gut zu: Davon müssen wir. Und ein Ziel haben! Hush hush!

Durch eine Bewegung mit dem ganzen rechten Arm schüttete er Staub und Papiere und den Schreibstifthalter zu Boden. Er begriff noch, daß der schiefe Patient ihn im Stuhl festhielt, und die Empfindung, sie alle beide, mon-strös oh gewiß doch: monströs, sie beide seien in einem interessanten Bühnenbild – Innen/Haus/Sprechzimmer – absolut unerläßlich, diese Empfindung tat ihm mitten im Ungemach außerordentlich wohl. Alles kein Wunder, bei 33 sowjetrussischen Grad Hitze, hätte er gesagt, bei vorhandenem Speichel in seinem Mund, und wenn er wirklich wachgeworden wäre.

Chronisches Unausgeschlafensein, diagnostizierte Dok-tor Gottheimer wenig später. Führt ins visionäre Zentrum solcher Zwischenzustände. Offenen Auges und mit gera-dem Rücken saß er nun wieder dem kleinen schiefen Mann gegenüber. Der kleine schiefe Mann sah genau so aus wie vorher. Der obstige Gärschleier war von der gräulichen Blässe des Gesichts gewichen. Doktor Gottheimer spürte das Gewicht seiner eigenen Unterarme. Es kam ihm so vor, als seien sie auf die Armlehnen seines Chefsessels gebügelt worden. Was er nicht zu rekapitulieren vermochte, das war der Zeitpunkt, von dem an der Nebel begonnen hatte, sich im Sprechzimmer zu verbreiten.

Ich bin Ihr Kollege Billstein, sagte der kleine Mann sanft und bekümmert.

Doktor Gottheimer hielt es für taktisch angebracht, ihn gewähren zu lassen. Er hätte nicht beschwören können, ob vorhin noch ein kleiner schiefer Mensch genau dieses Aussehens und mit derselben Anamnese sein Gegenüber gewesen war, der auf den Namen Rupert Räuber hörte. Nein nein, er hätte dies nicht beschwören können. Halt den Mund, alter Knabe, warnte er sich. Hab acht, paß auf, Haltung! Wer wollen Sie denn noch alles sein: diese Frage reservierte der Doktor. Ob es klug war zu rufen SONST NOCH JEMAND OHNE FAHRSCHEIN wußte er nicht, doch hörte er sich nun einmal diesen Ausruf tätigen. Manches geschah ohne eigenes Zutun. Bekäme man nur seine Arme von den Lehnen hoch! Doktor Gottheimer hätte nicht länger gezögert und in Anwesenheit dieser Figur da gegenüber seinem Verlangen nach einem hochprozentigen alkoholischen Getränk nachgegeben.

Ihre Frau Gemahlin schickt mich, sagte nun der Patient. Kommen wollte ich nicht, doch nun, nach allem . . . nun sehe ich ein . . .

In diesem Moment packte den Doktor Gottheimer die Wut, was, wie er befand, mit endgültigem Aufwachen synchron verlief. Er schrie: Meine Frau? Treiben Sie Scherze mit einem Menschen, der Junggeselle blieb, um seine ganze Existenz und Aufmerksamkeit der Wissenschaft zu widmen?

Doktor Gottheimer wollte fortfahren, aber wieder rotierte eine Art Brummkreisel im Innern seines Schädels und nun kam hinzu, daß ihm vor den Augen dunkel wurde. Nicht *schwarz*, wie er immer bei Patienten, die in seiner Anwesenheit kollabierten, vermutet hatte. Dunkel war's, der Mond schien helle, dachte er, und was er jetzt sehr deutlich vor sich erkannte, das war diese 59jährige, stark gebaute, von sechs Geburten und ständigen Bidetwaschungen ausgeweitete Frau, die einen Literaturkreis leitete, ziemlich gute Eintopfgerichte kochte, zwei Wohltätigkeitszirkel betreute und sich die Zähne des Oberkiefers nicht einspannen ließ, sie ließ sich von keinem richten, in die Zange nehmen, sei es vom Zahnarzt oder von ihm, Doktor Gottheimer, das ließ sie nicht zu, Bändigungen, weil sie ... was denn ... schlief er denn wieder ein? Kam das alles nur von der Hitze? Hatte er einen Entzug? Er brauchte einen Schluck. Beim letzten Halbdelir war es sofort klar um ihn herum geworden, und die Zähne seiner Frau, immer so gefletscht, als lutsche sie eine zerschmelzende Süßigkeit hinter den gerade noch bergenden Lippen, die Zähne seiner Frau glänzten so widerwärtig, wie sie waren, doch unglaublich verführerisch, und sogleich höbe sie an, den Märchentext aufzusagen: Damit ich dich besser fressen kann. Halbwach im Halbdunkel sagte er: Ich bin ein intensiv empfindender Mensch, und die Frauen, mit denen ich es zu tun bekomme, nehmen in meiner Einbildungskraft gelegentlich Züge von Ehefrauen an, die auch in meinem Leben denkbar gewesen wären.

Er beschloß, eine Verabredung mit Frau Käfer rückgängig zu machen. Frau Käfer hatte er vor acht Tagen bei einem sommerlichen Cocktail zwischen frierenden Menschen und unter Markisen, die vor Nieselregen schützten, bei ziemlich viel Weißwein – westdeutsches Wetter – kennengelernt. Oft spielte er mit den Phantasien herum, er sei irgendjemandes Ehemann. Die Frauen sahen sich alle ähnlich, waren vom Typus der Frau Käfer: der Schöpfer dieser Frauengestalten hatte sozusagen Vodka mit Whisky gemischt und ein paar Weinsorten dazugekippt, ehe er sich an die Ausarbeitung machte.

Die Erinnerung an die Sommerparty machte Doktor Gottheimer Durst auf ein Schlückchen Aquavit, winterliches Gesöff, er liebte es unter jeglicher klimatischer Kondition, und es befand sich drüben im Arzneischrank unten Mitte. Die kleingebaute, schmächtige Frau kam ihm matt in den unaufgeräumten Sinn, diese Liebe, aber Aufpasserische, die gegen sein Trinken war und sein Frauchen, oder etwa nicht? In der Annenstraße, allein in der ehemals gemeinsamen Wohnung! Ach die Annenstraße, wie furchtbar schwer war es, das Leben auszuhalten, umschwirrt von Zumutungen, die nüchtern nicht angegangen werden konnten.

Sind Sie Linkshänder? fragte er.

Wer saß denn dort im Besuchersessel?

Rauchen und trinken Sie maßlos oder halten Sie sich an ein bestimmtes System?

Mit der Beleuchtung stimmte wieder alles. Helle öde Beleuchtung. Typisch Hochsommer.

Sie möchten wahrhaftig mit diesem verheerenden Halswirbelschultersyndrom weiter herummurksen, Mann? Hat sich in Ihnen festgesetzt, was ich über Ihre Unerläßlichkeit im Stadtbild improvisierte? Sie sehen das ein? Was denn, Mann, was sehen Sie denn ein?

Keine Antwort. Keiner da, aber dagewesen war doch der Kleine, das Monstrum, durch dessen Fehlen Stadtszenen und Praxisinnenräume langweiliger, leerer, unmenschlicher wurden, und außerdem so unglaubwürdig wie die pure Gesundheit selber. Prost! Doktor Gottheimer stand vor dem Spiegel und ruckte mit den Schultern, hob bald die rechte, bald die linke, prüfte sein Abbild und fand es nicht ganz so schief, wie seiner Empfindung entsprach. Er fühlte sich schief, wurde aber fröhlich, und nun toastete er seinem Manuskript zu. Dann seinem verschwundenen Patienten, diesem Nächsten. Er bedurfte keiner NÄCH-STEN-Liebe mehr wie vorhin noch. Vodka half. Prost, Partnerin, alte Schabracke! Seine Sommerparty-Bekannte, Frau Käfer, war nun die Glückliche, auf deren Wohl der Doktor trank. Prost, weggejagte Gehilfinnen! Wie das zügig ging, wie das flutschte. Einen Fluch auf russisch, auf sowjetrussisch, so großräumig territorial wie möglich, müßte man jetzt wissen. Bald müßte Doktor Gottheimer ungeheuerliche Mengen Nahrung vertilgen. Er kannte das. Fleisch, ein großes Stück davon, total allein.

Draußen brannte immer noch widerwärtig, ja niederträchtig platt helles Julilicht jeden abscheulichen städtischen Winkel aus. Welche Hitze! Doktor Gottheimer hielt seinen feuchten geröteten Kopf in die Außenluft von weiterhin über 30 Grad. Er beugte sich ein Stück über die Brüstung. Der kleine schiefe Mann kam unten auf der Straße zwei Schritte weiter, er hob gerade jetzt den Kopf zur ersten Etage des Gründerzeitgebäudes, aus deren Fenster ihm ein dicker Mann mit blanken, rotem schwierigem und schweißnassem Kopf aufmunternd wie einem Champion zubrüllte:

Nur weiter so! Man braucht Sie! Man braucht Sie dringend! Suchen Sie mich wieder auf, demnächst schon. Sie sind lehrreich! Sie sind unentbehrlich!

Wunderliche Menschen gibt es, dachte kurz darauf einer vom andern, und einer betrank sich in Unkenntnis und Tröstung. Der andere, der das Arztschild musterte, fragte sich, ob er an einem der nächsten Tage, wenn die größte Hitze abgeklungen wäre, nicht vielleicht einmal wieder seinem Hausarzt einen Krankenbesuch machen sollte.

ARBEITSLOS

Und weil ich das Nachlassen an Interesse fürchten muß, zwinge ich mich Tag für Tag zu Rundgängen durch die Stadt. Von alten Gewohnheiten lasse ich nicht ab, damit ich mir bloß ähnlich bleibe. Also trenne ich mich morgens zwei Stunden früher, als meinem Organismus recht ist, von meinem Bett, und beschimpfe den Wecker, dessen Pfeifton ich mir am Vorabend für die menschenfeindliche deutsche Arbeitnehmerzeit bestellt habe. Morgens in der Stadt hilft mir gegen die Langeweile, daß ich den Mittagsimbiß vor mir habe. Nachmittags empfiehlt es sich, möglichst langsam und stetig zu gehen, damit ich nicht vor halb fünf Uhr schon wieder in meiner Behausung eintreffe. Immer wieder ermahne ich mich, Uhren nicht anzublikken. In Schaufenstern, erst recht in Spiegeln, begegne ich mir selber ungern. Chronisches Betrübtsein tagsüber und der Hang zu langem Aufbleiben haben mich nicht verschönert; ich denke mir meinen Ausdruck ernst, aber dann ist er nur kläglich und aufgeregt, in einem wie versehentlich und zu eilig ungleichmäßig gepolsterten Gesicht, nein, meine Augen schauen nicht groß und nachdenklich und nicht tiefsinnig, nein, das sind Knopfaugen mit einem stechenden Blick, dem ausgewichen wird. In meiner Behausung nur halte ich mich für recht groß gewachsen und gerade. Nur dort entgeht mir die Fadenscheinigkeit meiner Kleidung. Schlechte Beleuchtung im Duschraum tarnt mein Gesicht, aber vermuten muß ich, daß es verfleckt gerötet ist. Mit meinem Geld komme ich monatlich aus. Einen Ekel machen sie mir ja, die großen Kaufhäuser, doch als Programmpunkte für jemanden wie mich nützen sie, und ich wüßte keinen Ersatz. Wie langsam Zeit vergeht! Trotzdem fühle ich mich inwendig gehetzt, der Stundenablauf kommt mir wie eine Treibjagd vor. Stumm singe ich einfache Lieder, um in einen ruhigen Rhythmus mich selber, Körper und Gemüt, einzuweisen. Oft bin ich sehr müde, siehe: langes Aufbleiben. In der Gesellschaft meines ebenfalls ermüdeten, unzulänglichen Schwarzweißfernsehapparats, der jegliche Vorgänge in ein schlechtes finsteres Wetter einnebelt, und in unmittelbarer Nachbarschaft von Rauschzuständen fühle ich mich bis zum Sendeschluß und dem letzten Schluck Weißwein häufig wohl, ja zuversichtlich, und oft fange ich verschiedene Briefe zu schreiben an. Weißwein, ja. Ich lege Wert drauf, keinen Rotwein zu trinken. Vermutlich ist Rotwein das Getränk von meinesgleichen.

Ich benutze Rolltreppen, damit ich langsam bin. Angesprochen vom Verkaufspersonal werde ich kaum je. Weil ich aber das Verstummen im Rahmen aller dieser abnehmenden Regungen meiner Lebendigkeit außerordentlich stark fürchten muß, täusche ich gelegentlich Bedürfnisse vor, stets solche, von denen ich weiß, wie unstillbar sie sind: ich frage nach Rohseide, zum Beispiel. Paarweise rücken Menschen auf mich zu, auch ineinander verhakte Menschen, die miteinander reden und in ähnlicher Kleidung ähnlich frisiert einander allesamt ähnlich sehen, und ich vermute, es handelt sich dabei oft auch um Menschen, die ohne Arbeit sind wie ich – aber sie interessieren sich, man erkennt das, ihre Gesichter machen einen beteiligten und brutalen Eindruck, sie untersuchen Waren, manche erwerben etwas.

Paarweise ... die meisten ... oh, Sie befinden sich im Irrtum, wenn Sie mir unterstellten, dieser Umstand stimme mich trübsinnig. Weil ich allein umhergehe, die anderen aber zu mehreren sind ... oh nein, das erweckt in mir weder Neid noch Sorge. Das Ausschleichen meines Verlangens nach Gesellschaft muß ich ja ebenfalls fürchten. Folglich sollte ich mir befehlen: beklage deine Einsamkeit! Sieh zu, wie du dir etwas Gesellschaft zulegst, laß dir was einfallen! Statt dessen sagt es tröstend in mir den folgenden Satz: Immerhin, wenigstens allein bist du, was für ein Glück. Mit einem Hagestolz teile ich allerdings sonst keinerlei Eigenschaften. Von einem früheren Freundeskreis – oder lassen Sie mich lieber sagen: von Bekanntschaften – trennt mich seit vier Jahren wahrscheinlich folgende Einladung: »Lächerlicherweise werde ich fünfzig Jahre alt. Mit Gästen muß gerechnet werden.« Damals lebte ich noch in einem Vorort von Göttingen und arbeitete in meinem Beruf – nur keine Sentimentalitäten! Menschen aus diesen früheren Zeiten sind nun abends und nachts, je nach Alkoholpegelstand, die Adressaten meiner Briefe, in denen ich Anknüpfungsversuche mache. Beim Schreiben erlösen mich meine Phantasien über mich selber. Ich besitze ja Freiheiten! Briefe kann man wirklich verfassen, abschicken könnte man sie auch, sogar unbeendete Briefe, die ihre eigene Sprache sprächen, die Sprache der Not, des Erstickens am persönlichen Elend. Das Zerreißen und Wegwerfen hat mir jedoch bisher immer am meisten zugesagt.

Weihnachten kommt furchtbar oft, es kommt dauernd, viel zu oft. Ostern kommt seltener. Von den übrigen Festen braucht man kaum Notiz zu nehmen. Für dieses Jahr zu Weihnachten liegt mir unerwarteterweise eine Einladung vor. Es paßt mir nicht, daß ich, seit die Einladung an mich erging, überlegen muß, wie ich mich verhalten soll. Die Frau, der ich sie verdanke, nenne ich Gila Göttingen. Aus der Göttinger Zeit kenne ich sie. Sie hat zwei Kinder, einen Mann, eine Dozentur und dann noch mich als Liebesproblem. Ihrer Familie hat unsere Beziehung nie geschadet.

Warum ich ausgerechnet in Osnabrück nicht mehr vom Fleck kam? Dort hatte ich ein paar Tage lang auf das Ergebnis einer Bewerbung gewartet. Als es ungünstig ausfiel, schrieb ich, und bat um Weiterverbreitung dieser Nachricht, meiner Freundin Gila, man habe mich ausgewählt. Mein damaliges Hotel vermietete das Portierzimmer – Zimmer mit Kochnische und Duschraum – und ich fand daran Gefallen, weil der Blick aus dem kleinen Fenster auf den Hauptbahnhof geht. Vom Hauptbahnhof wage ich mich nie sehr weit weg. Einmal pro Tag betrachte ich die hier bemerkenswerten Gleiskörper: so stehe ich richtig, zwischen Nordsüdachse und Ostweststrecke. Anschließend bewege ich mich wieder durch die gleichmäßige Häßlichkeit der ungleichmäßigen Straßenzüge, ich mache Halt vor der Altstadt, dort soll es schön sein, aber mir ist die Entfernung vom Hauptbahnhof nicht geheuer. Auch wünsche ich nicht, in bessere Bezirke einzutreten. Befriedigt nehme ich zur Kenntnis, daß ich immerhin noch gequält werden kann. Leiden ist nötig. Heimweh muß aufkommen können, und unterwegs muß ich mich zurück in meine Bleibe bringen wollen. Dort schaue ich stundenlang auf meinen sehr kleinen, grauschwarzen Bildschirm. Die Interessiertheit an allem stellt sich sofort ein. Ja, ich schaue mir alles, alles an, und was mich in den Straßen nur langweilt, macht eine Verwandlung mit und erweckt mein Verlangen, gebannt hinzusehen. Überaus selten wechsle ich die Programme: zwei kann ich empfangen. Werbeslogans spreche ich, an guten Tagen, an Tagen mit Mut, halblaut mit.

Gebraucht werde ich nicht, niemals vor 23 Uhr: genau zu dieser Zeit aber muß ich in der Bibel lesen. Wovor ich mich außerordentlich wachsam hüten sollte, Abend für Abend um 23 Uhr, das ist die Faulheit. Wäre nur der Herr des Himmels nicht so freundlich! Weil er mir alles vergibt, lasse ich es oftmals bei einem Abdruck meiner Lippen auf das Innere meiner Bibel bewenden. Ich trinke dann weiter, die Empfindung meiner einmaligen Besonderheit kommt auf, nicht nur an Gila Göttingen schreibe ich, die Zähne versuche ich mir im richtigen Moment zu putzen; einschlafend spüre ich, wie Trauminhalte an mir vorübersegeln, mein eigener Schlaf schwappt neben mir her, und ich muß wirklich darauf achten, das Interesse an meiner eigenen Nachtruhe nicht einzubüßen.

Preisgaben! Wäre es mir nur nicht ausgerechnet in Osnabrück passiert! Das Hängenbleiben, das Abdriften und Wegsinken, das vegetative Leben: ab und zu glücken mir noch Verwünschungen. Das Überwintern findet in jeder Jahreszeit statt. Und morgen wieder das HORTEN, das HERTIE, das WOOLWORTH, die Marktpassage und möglicherweise Kaufhof, Fußgängerparadies, die Vorfreude auf das Werbefernsehen mit Weißwein, Briefanfängen. Sonderbar, daß ich noch, vor einem allerdings ziemlich beschädigten Spiegel, zweimal am Tag daran festhalten kann, das Lachen auszuprobieren. Mit einem Rest dieses Lachens, grinsend streng, warte ich täglich gegen siebzehn Uhr an Gleis zwei ab – was denn? Abwarten wie Berufstätigkeit, sehen wir es doch einmal so.

Nicht Sehnsucht nach Menschen wäre der Titel meines Heimwehs, suchte ich einen. Durch schlechtes Hören, neuerdings auch Sehstörung, kombiniert mit meiner schon erwähnten chronischen Besorgnis um meine schwindenden Teilnahmen an der Welt und dem ebenfalls bereits angeführten Hang zu langem Aufbleiben, fühle ich mich wie in einem Panzer, von anderen abgeriegelt, vormittags immer glühköpfig, Restalkohol rumort in meinen Eingeweiden und verleitet mein Gemüt zu verdächtigem Pathos, und gewiß wäre es einem Anvertrauen – aber ich verlange ja nicht danach – keineswegs dienlich, daß man mir

Mitteilungen zurufen müßte, wenn ich sie verstehen soll. Da, die Frau vom Zeitungskiosk, sie brüllt mich an, lacht, gestikuliert, und jetzt höre ich sie: Hallo Sie, mit Ihrem ansteckenden Lachen! So gut wie Sie möchte ich es haben, so beneidenswert! Sie Spaziergänger! Glücklicher Mensch!

Ich widerspreche nicht, aber aus Faulheit und Angst vorm Stottern, benommen vom andauernden Stummsein. In diesem Moment – er wird nie wiederkommen – da hätte ich wahrhaftig gern irgendein Wort der Korrektur gesagt, ein Sterbenswörtchen, nicht wahr? Ein goldrichtiges Sterbenswörtchen, wie es sich zwischen den Lebendigen gehört. Nicht wahr?

DER IRRGAST

Gegrillte Bratwürste, aber auch die Kuchensorten und sämtliche Getränke – lauter Diätfehler. Diese Geselligkeit unter freiem Himmel ist selbstverständlich eine Geduldsprobe für meinesgleichen. Da oben, über den Baumkronen, sieh dir das mal an, da schwebt eben einer weg! Viele schauen hinauf, lachen, winken dem Luftballon nach, sind schnell wieder von ihren Wünschen zwischen Ausschank und Holzkohlengrill und Partnervertauschungen abgelenkt. Die Gastgeber haben ganz wundervoll geschmückt, zu Dreierbündeln gelbe große eiförmige Luftballons geschnürt und an Äste gebunden. Schwalben gibt es hier in der bewohnten Gegend nicht, oder doch? Das da, ein Mauersegler? Draußen auf dem Feld tauchen sie abends in Schwärmen auf? Ah, da kommen die Strehlers. Habt ihr gesehen, wie dick der gute Freddy geworden ist? Von Lisa hätte man es nicht anders erwartet.

Lauter Diätfehler. Das alles ist nicht die Kost, Fragen, Antworten, Gelächter inbegriffen, die ich zu mir nehme. Aber meinem Trainer zuliebe mache ich mit. Mein Trainer kommt gut an, er amüsiert sich. Wo steckt sie? wird er immer wieder gefragt. Ah, natürlich, da ist sie ja. Alle Leute sind sehr nett und an mir freundlich interessiert, aber die Laune wollen sie sich nicht verderben lassen, auf einer so außergewöhnlichen Party wie dieser. Jetzt ist klar, wozu die Hitzewelle taugt, nicht wahr? Die Gastgeber hatten seit Tagen bis zu diesem Spätnachmittag Angst vor einem Wetterumschlag. Meinem Trainer zuliebe sage ich jetzt gar nichts, erstens nichts über den Angstbegriff bei Kierkegaard und zweitens sperre ich auch nicht gewitterdurstig den Schnabel auf, sehen wir es doch einmal so. In Menschengesellschaft passe ich ja nicht. Weil ich der Choreographie aus glücklicher Langeweile, glücklicher Neugier entkommen möchte, diesen häufig wechselnden, neu gemischten Arrangements auf der Wiese, bleibe ich, die erste halbe Stunde ist überstanden, und ich war gesellig, im hintersten Winkel, von Büschen geschützt, auf einer Bank kauernd, und es kann, bei solchem Verhalten, gut sein, daß ich die ganze Festzeit hindurch an jemanden, der ebenfalls keine Ortsveränderung mehr wünscht, gebunden sein werde. Gut denkbar, daß ich zwei Stunden lang – oder länger, vieles hängt von meinem Trainer ab – mit dem Bildhauer über die eheliche Liebe und wie sie sich in Träumen widerspiegelt, oder mit dem Kommunalpolitiker über zeitgenössische Musik sprechen werde – Irrtum, von wegen Sprechen! Ich kann es aber so einrichten, daß es einem Dialog gleichkommt, daß es diesen Anschein erweckt, alles das meinem Naturell Entgegengesetzte. Schwalben immerhin, die haben sich das Prädikat GESELLIG verdient. Am Erdboden halten sie sich allerdings sehr selten auf und wenn, nur sehr kurz.

Ich bin schon zu lang hier.

Wie bitte? So herrliche Abende muß man auskosten. Dieses Klima eignet sich ausschließlich für angenehme Abende. Wie halten Sie es denn tagsüber aus? Sagen wir nicht DU? Wir sehen uns nicht oft genug. Ich würde Sie sehr gern, oder dich nur allzu gern Ihnen, nein DIR vorstellen, doch, tut mir gräßlich leid, fort ist der Name, und Ihrer auch, dein Name auch, entschwunden, furchtbar peinlich, bitte nicht böse sein! Es hat nichts mit Ihrer oder deiner Identität zu tun, diese Identität wird voll ernstgenommen, gewiß, und kaum schaue ich in dieses Gesicht, da finde ich auch schon den Moment unseres letzten Zusammenseins wieder, ein Heringsessen, so war es doch, oh gewiß, ganz unvergeßlich. Was mich betrifft, das ist die neue Einschränkung, ich spreche eigentlich nicht mehr und halte mich kaum lange Zeit in Bodennähe auf. Meinem Trainer zuliebe unterdrücke ich Alarmrufe. Ein angenehm plauderndes Zwitschern sagt man dem

Gesang der Rauchschwalbe nach. Unauffällig hingegen singt und ruft die Felsenschwalbe. Unbedeutend, nichtssagend und auch nicht melodisch schwatzt die Mehlschwalbe. Einige Segler sind schweigsam. Andere Segler benutzen Seglerschrei und Triller. Trifft man einen Stachelschwanzsegler, so handelt es sich auf jeden Fall um einen Irrgast, überaus selten.

Es kann nicht gut für dich sein, für deine gesamte Zukunft kann es nur schädlich sein, wenn du mir ganz und gar menschenscheu wirst. Gute Züchter wissen, wozu sie ihren Schützlingen raten. Dort drüben, am Hauseingang, da begrüßt soeben der Gastgeber einen Neuankömmling und dessen Frau. Ist das nicht der vergnügte gutmütige Nervenarzt? Jetzt ist auch Benno, der niemals unverzweifelte Maler, eingetroffen und postiert sich auf der Höhe des Gartenhügels wie ein Ratespiel, allen als Angebot: löst mich doch! Hiermit steht euch meine kritische, hochproblematische Grau-Phase zur Verfügung. Wie weiter? Der Nervenarzt findet durch einen Trick zurück ins offene Haus, um in aller Ruhe die Geschenke zu begutachten, die das Gastgeberehepaar als Gegenwert zu den erheblichen Unkosten, die das Fest gemacht hat, behalten wird.

Mein Beschützer hat nach mir geschaut. Mich unterhält zur Zeit der Ehemann der Modeschöpferin. Die Modeschöpferin weiß nach einer halben Minute, was das kostet, das ich anhabe.

So schwarz? Ganz in Schwarz?

Der Ehemann informiert mich über das Waldsterben. Es wundert ihn sehr, wie wenig ihm davon auffällt, wenn er sich auf dem Rhein-Main-Flughafen befindet. Fast erleichternd, dort zu landen. Alles so intakt, nichts stirbt. Wie wird es um Sie bestellt sein, bei immer weniger Baumbestand? Ach, wissen Sie, unsereiner landet ja höchst selten. Bei mir und meinesgleichen könnte man beinah von andauernden Starts sprechen.

Schwarze Jacke, schwarze Flügel, ist das ein Rock? Ganz in Schwarz, das fällt auf, ist ein bißchen verrückt, so streng, mitten im wunderschönen Hochsommer, findet ihr nicht? Ein schwarzes Gefieder, fremder Vogel. Man kann nicht mit dem Kopf durch die Wand. Man kann auch übertreiben, das Unangepaßte, nicht wahr? Heute wollten wir uns alle endlich wieder einmal ordentlich und tüchtig gehenlassen.

Auf die Versprechungen meines Herrn kann ich mich verlassen und warte darum verhältnismäßig geduldig ab. Endlich, kurz bevor die Abenddämmerung einsetzt, verläßt mein Trainer das Gartenfest, ich selber brauchte nur aufzufliegen, doch wäre mir das zu spektakulär. Daß wir uns ohne Abschied davonmachen, geht gut, weil die über hundert Gäste sich in ihren Erheiterungsballetts, kettenförmig miteinander verbundenen Cliquen, Gruppen, Doppelkonzerten, Quartetts über den buschigen Abhang verteilt haben.

Gute Züchter wissen, wonach ihren Lieblingen verlangt, und in meinem Fall ist es Bewegungsfreiheit, Ruhe. Platzmangel wie auf Parties, selbst wenn sie im Freien stattfinden, wird von verschiedenen Schwalbenarten geschätzt, Segler hingegen nisten nicht einmal in Kolonien, ganz zu schweigen von ihrer einzelgängerischen Lebensweise.

Gehen wir jetzt endlich raus in die Felder?

Ja, sofort, mein Schwälbchen.

Ich laufe voraus. Meine Jackenschöße tun sich auf, ich renne, werde bald abheben, meine Flügel, verwechselt das nur nicht mehr mit Menschenkleidern!

☆

Gegen Nachmittag spitzte sich die Lage zu. Katharina spürte geradezu körperlich, wie ihre Mißstimmung zur schweren Niedergeschlagenheit wurde, kaum zu trennen von Panik. Morgens hatte sie es noch nicht ganz so schlimm gefunden. Jetzt war es nur noch schrecklich, furchtbar häßlich, und zu allem Elend nicht einmal nur punktuell! Ein Dauerzustand, eine Sache mit Zukunft! Wieso war es ihr am Morgen noch nicht in diesem ganzen verheerenden Ausmaß klar geworden? Warum, wenn so etwas passieren kann, warum bin ich dann überhaupt gestern abend bei unserem Spaziergang eine ganze halbe Stunde lang außerordentlich glücklich gewesen? Wozu denn, Glück? Wenn er mir das antun kann, war es doch nur ein Mißverständnis und meine falsche Empfindung. Katharina beschloß, nicht mehr auf die Chance, glücklich zu werden, reinzufallen.

Ich werde NEIN DANKE sagen, eiskalt, einfach NEIN DANKE, wenn er mich fragt, ob wir wieder – gar nicht weiter daran denken! Die drei Bündel mit gelben Ballons, die der Gastgeber ihr gestern abend geschenkt hatte, lagen im Vorgärtchen auf den Steinplatten. Du mußt lernen, zwischen Spiel und Alltag zu unterscheiden, hatte er zu ihr gesagt. Zwischen Spiel und Ernst, hatte er dann gesagt. Katharina fand, sie könne, bei so vielen Irrtümern, ebenso gut in dieser Woche wieder zurückfahren. Es gab noch zwei, drei Gefährtinnen, die in den großen Ferien nirgendwohin verreisten.

Das war aber mein Ast, und wie du weißt, kommt es in der ganzen Naturgeschichte nur dieses eine einzige Mal vor, daß überhaupt eine Mauerseglerin, eine mit der Wüstenschwalbe gekreuzte Rauchseglerin in Hausnähe auf einem Eibenast wohnt: schrieb Katharina auf ein verbrauchtes Kalenderblatt. Auf der Vorderseite stand, unter einer Reproduktion von Hans Thomas KINDERREIGEN und der zweiten Überschrift MOBIL OIL: JUNI, und Katharina bekam plötzlich Herzklopfen und ein brennendes nasses Druckgefühl in den Augen, weil sie über der Zahl 26 in seiner Schrift die Abkürzung SCHW. entdeckte. Die vier Buchstaben standen für SCHWALBE! Sollte sie gerührt werden, sollte sie wirklich? Wieder einrenken? Aber erstens hatte er den Ast einfach abgesägt und die nackte grelle blendende ekelhafte Sonne nahm dem Vorgarten jedes Versteck, sie zerstörte das gesamte Vogelschutzgebiet, das Spiel selber, das ein Ernst war, aber kein Alltag. Und zweitens, er vergaß immer wieder, daß sie die Seglerin war, noch unirdischer, noch viel mehr der Irrgast als Schwalben es jemals sein würden.

Übrigens hat es mir imponiert, wie gut du dich gestern in der Gesellschaft gehalten hast, Schwälbchen, sagte er. Komm, gib dir einen Ruck, du hast es gestern auch verstanden. Bei den erwachsenen Leuten, bist ganz prima dort angekommen, richtig wie eine Dame. Fenster müssen geputzt werden, verstehst du, und auf- und zumachen können muß man sie auch, und die Mauer wird schimmlig und moosig, also dieser Ast war dran, alles klar?

Was machst du für langsame Bewegungen, heut abend?

Komisch, daß er noch fragte. Sie gingen den Weg von gestern entlang, und Katharina dachte nur immer: das ist der Weg von gestern. Der heutige Tag zählt nicht mit. Alles gilt gar nicht mir. Wenn das von jetzt an so bleibt, wird das Leben entsetzlich schwerfällig und vollkommen langweilig.

Aha, der Fahlsegler, war's nicht der, mit dem langsameren Flügelschlag? Hat er die plumperen Armschwingen? Den breiteren Kopf? Einen Dickkopf? Hm? Wie steht's?

Auf einmal tat er ihr schrecklich leid, ach so leid. Ein Züchter, dessen Geschöpf wertlos wurde! Vielleicht einginge. Nirgendwohin mehr mitzunehmen wäre, keinerlei

Sensation. Sie lief davon, die gewohnten paar Schritte ihm voraus, dann gelang ihr sogar das Rennen – aus Mitleid mit ihm – aber es kostete sie Kraft, anders als sonst, es war künstlich, war nur die Kopie von gestern, das nachgestellte Glück. Für ihn hob sie nun die schwarzangezogenen Ärmchen, für ihn vom Boden ab, für ihn schwebte sie in der Luft, jetzt machte sie sogar den REISSENDEN Flug, der sie als SEGLERIN kennzeichnete und von SCHWALBEN unterschied, und das übliche liebevolle väterliche BRAVO würde sie im Internat noch in sich nachhallen hören, er aber würde nicht hören, daß ihre anhaltende Antwort der Warnschrei war. Oh, es war Liebe, und insofern eigentlich alles beim alten.

BÜCHER VON GABRIELE WOHMANN
BEI LUCHTERHAND

Ich lese. Ich schreibe. Autobiographische Essays (1984). Sammlung Luchterhand Band 554. – *Passau, Gleis 3.* Gedichte. 1984. 128 Seiten. – *Verliebt, oder?* Erzählungen. 1983. Sammlung Luchterhand Band 485. – *Der kürzeste Tag des Jahres.* Erzählungen. 146 Seiten. 1983. – Sammlung Luchterhand Band 531. – *Ausgewählte Gedichte 1964–1982.* 1983. Sammlung Luchterhand Band 437. – *Jetzt und nie.* Roman. 1982. Sammlung Luchterhand Band 385. – *Das Glücksspiel.* Roman. 1981. 236 Seiten. – Sammlung Luchterhand Band 459. – *Komm lieber Mai.* Gedichte. 1981. 118 Seiten. – *Ach wie gut, daß niemand weiß.* Roman. 1980. 396 Seiten. – *Meine Lektüre.* Aufsätze über Bücher, hg. Thomas Scheuffelen. 1980. Sammlung Luchterhand Band 309. – *Paarlauf.* Erzählungen. 1979. Sammlung Luchterhand Band 360. – *Ausgewählte Erzählungen aus zwanzig Jahren (1957–1977),* hg. Thomas Scheuffelen. Zwei Bände. 1979. Band 1: Sammlung Luchterhand 296. – Band 2: Sammlung Luchterhand 297. – *Frühherbst in Badenweiler.* Roman. 1978. 272 Seiten. – *Grund zur Aufregung.* Gedichte. 1978. 86 Seiten. – *Ausflug mit der Mutter.* Roman. 1976. Sammlung Luchterhand Band 213. – *Schönes Gehege.* Roman. 1975. 326 Seiten. – *Paulinchen war allein zu Haus.* Roman. 1975. Sammlung Luchterhand Band 219. – *Ländliches Fest.* Erzählungen. 1975. Sammlung Luchterhand Band 204. – *Gegenangriff.* Prosa. 1972. Sammlung Luchterhand Band 55. – *Ernste Absicht.* Roman. 1972. 488 Seiten. – Außerdem: *Gabriele Wohmann: Auskunft für Leser,* hg. Klaus Siblewski. 1982. Sammlung Luchterhand Band 418.